Eros

o Doce-Amargo

ANNE CARSON

Eros

o Doce-Amargo   UM ENSAIO

Tradução Julia Raiz

© Princeton University Press, 1986
© desta edição, Bazar do Tempo, 2022

Todos os direitos reservados e protegidos pela lei n. 9610, de 12.2.1998.

Proibida a reprodução total ou parcial sem a expressa anuência da editora.

Este livro foi revisado segundo o Acordo Ortográfico da Língua Portuguesa de 1990, em vigor no Brasil desde 2009.

Edição **Ana Cecilia Impellizieri Martins**
Coordenação editorial **Meira Santana**
Tradução **Julia Raiz**
Revisão da tradução **Emanuela Siqueira e Clara Crepaldi**
Índice remissivo **Gabriella Russano**
Copidesque **Livia Azevedo Lima**
Revisão **Elisabeth Lissovsky**
Capa e projeto gráfico **Luciana Facchini**
Ilustração da capa **Elisa Carareto**
Produção gráfica **Marina Ambrasas**

CIP-BRASIL. CATALOGAÇÃO NA PUBLICAÇÃO
SINDICATO NACIONAL DOS EDITORES DE LIVROS, RJ

C314e

Carson, Anne, 1950–
Eros: o doce-amargo: um ensaio / Anne Carson; tradução Julia Raiz.
1. ed. – Rio de Janeiro: Bazar do Tempo, 2022.
264 p.; 21 cm.

Tradução de: Eros the bittersweet: an essay
Inclui bibliografia e índice
ISBN 978-65-84515-22-2

1. Literatura grega - História e crítica. 2. Eros (Divindade grega).
I. Raiz, Julia. II. Título.
22-80202
        CDD: 880.9
        CDU: 821.14'02.09

Gabriela Faray Ferreira Lopes - Bibliotecária - CRB-7/6643

2ª reimpressão, maio 2025

BAZAR DO TEMPO
Produções e Empreendimentos Culturais Ltda.

Rua General Dionísio, 53 - Humaitá
22271-050   Rio de Janeiro - RJ
contato@bazardotempo.com.br
www.bazardotempo.com.br

SUMÁRIO

Abreviações 7
Nota da tradutora 11
Prefácio 15
Doce-Amargo 17
Já foi 27
Artimanha 31
Táticas 39
O alcance 51
Encontrando o limite 55
A lógica no limite 59
Perdendo o limite 67
Arquíloco no limite 75
Limite alfabético 85
O que a amante quer do amor? 97
Símbolo 107
Um novo sentido de romance 115
Algo paradoxal 121
Minha página faz amor 125
Letras, cartas 133
Significados dobráveis 143
Belerofonte está bem errado, afinal .. 149
Realista 157
Prazer-gelo 161
Agora e Então 169
Erotikos logos 177
O desvio 179

Dano a quem vive 187
Midas 193
Cigarras 199
Jardinagem por diversão e lucro 203
Alguma seriedade está faltando 207
Tomando conta 209
Leia pra mim a parte de novo 215
O então termina onde o agora começa 219
Que diferença faz uma asa 225
Esse diálogo é sobre o quê? 233
Mythoplokos 237
Referências bibliográficas 245
Índice de citações 253
Índice remissivo 257

Abreviações

Aesch.	Ésquilo
Ag.	Agamêmnon
PV	Prometeu acorrentado
Sept.	Sete contra Tebas
Supp.	As suplicantes
Anac.	Elegy and Iambus ... with the Anacreontea, org.. J. M. Edmonds (Cambridge, Mass., 1961)
Anth. Pal.	The Greek Anthology, org. W. R. Paton, 5 vols. (London/New York, 1916) [Antologia Palatina]
Ap. Rho.	Apolônio de Rodes, *Argonautica*, org. R. C. Seaton (Oxford, 1900) [*Argonáuticas*]
Ar.	Aristófanes
Eccl.	As mulheres na assembleia [também traduzida como *A revolução das mulheres*]
Nub.	As nuvens
Ran.	As rãs
Arist.	Aristóteles
De An.	Da alma [De Anima]
Metaph. A	metafísica A
Ph.	Física
Poet.	Poética
Pol	Política

Rh.	*Retórica*
Sens.	*Da sensação e do sensível* [*De Sensu et Sensibilibus*]
Ath.	Ateneu, *Deipnosophistae*, org. G. Kaibel, 3 vols. (Leipzig, 1887-1890)
CAF	*Comicorum Atticorum Fragmenta*, org. T. Kock, 3 vols. (Leipzig, 1880-1888)
Diels, vs.	*Die Fragmente der Vorsokratiker*, org. H. Diels, 3 vols. (Berlim, 1959-1960)
Eur.	Eurípides
Hipp.	*Hipólito*
IA	*Ifigênia em Áulis*
Sthen.	*Estenebeia*
FGrH	*Fragmenta Graecorum Historicorum*, org. F. Jacoby, 15 vols. (Berlin/Leiden, 1923-1958)
Hilgard, *Gramm. Gr.*	*Grammatici Graeci*, org. A. Hilgard, 3 vols. (Leipzig, 1901)
Hom.	Homero
Il.	*Ilíada*
Od.	*Odisseia*
LP	*Poetarum Lesbiorum Fragmenta*, org. E. Lobel and D. Page (Oxford, 1955)
LSJ	Liddell and Scott, *Greek-English Lexicon*, 9ª ed., rev. Jones (Oxford, 1968)
Pind.	Píndaro
Pyth.	*Odes Píticas*
Pl.	Platão
Ap.	*Apologia*
Phdr.	*Fedro*
Phlb.	*Filebo*
Soph.	*Sofista*
Symp.	*O banquete*

Theag.	Teages
Tht.	Teeteto
PMG	*Poetae Melici Graeci*, org. D. Page (Oxford, 1962)
Radt	*Tragicorum Graecorum Fragmenta IV*: Sophocles, org. S. Radt (Göttingen, 1977)
Snell-Maehler	*Pindari Carmina cum Fragmentis*, org. B. Snell & H. Maehler, 2 vols. (Leipzig, 1971)
Soph.	Sófocles
Ant.	Antígona
OC	Édipo em Colono
Trach.	As traquínias
Stob., *Flor.*	Ioannis Stobaei Florilegium, org. T. Gaisford, 4 vols. (Oxford, 1822) [Estobeu, *Florilégios*]
TGF	*Tragicorum Graecorum Fragmenta*, org. A. Nauck, 2ª ed. (Leipzig, 1889)
West, *IEG*	*Iambi et Elegi Graeci*, org. M. L. West, 2 vols. (Oxford, 1971-1972)

Nota da tradutora

Eros, o doce-amargo coloca em evidência as experiências diversas de se apaixonar, ler e escrever – vivenciadas por e entre pessoas de gêneros, sexualidades e classes sociais diferentes. Por isso, aposta em multiplicar os significantes de *lover* e *beloved* que aqui aparecem com formas diversas: quem ama, quem se apaixona, a amante, pessoa que ama, pessoa apaixonada, o amante, o amado, pessoa amada, a amada. Igualmente, vocês vão encontrar *reader* e *writer* como quem lê, pessoa que lê, quem escreve, pessoa que escreve, pessoas escritoras, pessoas leitoras, público leitor. Sem que isso dissolva a tensão que existe, de gênero, sexualidade e classe social, entre as pessoas que se envolvem amorosamente no texto. Além disso, considerando que este é o segundo livro publicado de Carson (depois de *Canicula di Anna*, 1984) e precede vários outros ensaios em que a autora vai usar a primeira pessoa do singular, reforcei essa ligação entre os ensaios usando o feminino gramatical quando a autora usa "nós".

    É com essa consciência mais ampla do trabalho de Carson, que já publica há mais de trinta anos, que decidi apostar em outra solução para o título, me afastando da versão de *bittersweet* como agridoce. A escolha doce-amargo foi uma maneira de reforçar a combinação drástica de dois adjetivos opostos ou pelo menos radicalmente diferentes. O procedimento de junções drásticas vai ser repetido por Carson inúmeras vezes e, posteriormente, ela vai chamá-lo de *withness* ou, como eu gosto de dizer, *comtitude*. Ainda, em algumas passagens de *Eros*, Carson usa o substantivo *bittersweetness* que traduzi para *doçuramarga*, contraindo em um só os dois "a", para deixar à vista a simultaneidade da *comtitude*. Os neologismos parecem estranhos à primeira vista – para Carson eles se assemelham a erros, porque podem abrir novos caminhos na nossa mente de formas extraordinárias. Admitir os erros como novos caminhos na mente é uma das estratégias para ampliar o limite da conversa normalizada do dia a dia. Isso exige vulnerabilidade por parte da tradutora para arriscar, e da leitora, que se abre para vivenciar e pensar o risco.

É arriscando que podemos encontrar soluções que só podem existir na nossa língua. Doce-amargo, por exemplo, forma um DoceAmar que é interrompido e transformado pela invasão da sílaba seguinte: "go". Da mesma maneira, Eros invade a vida de quem ama e bota tudo de cabeça para baixo, juntando doce e amargo. A passagem, reforçada no título, de um sabor a outro, convida quem está lendo a se envolver com o livro com outros sentidos além da visão. Podemos aqui saborear com o paladar as excitantes trilhas cognitivas construídas pelo argumento do livro. Carson diz que quando era menina teve que ser impedida de comer as páginas coloridas de um livro infantil. Que sabor vêm à boca quando desenrolamos a língua para falar sobre o Amor? é uma das primeiras perguntas que *Eros* coloca.

E para arriscar respostas a essas e outras questões, Carson traz à tona uma quantidade significativa de citações. Traduzir as citações que a autora usa é sempre, ao mesmo tempo, doce-amargo, divertido e difícil. Carson é conhecida por torcer as citações para que elas formem, com a sua própria argumentação, um léxico específico. Especialmente em *Eros* existe uma brincadeira explícita com os trocadilhos. Os trocadilhos são modos de operação da linguagem e da mente que espelham a experiência dual e conflitante que é Eros. Os trocadilhos, porque são brincadeiras com os sons, são um grande desafio para tradução porque precisam ser inteiramente recriados. Assim, também precisei recriar, como a autora faz, um emaranhado de citações que, torcidas, formam entre si um léxico específico, uma língua-em-comum.

Essa língua-em-comum combina com a preferência de Carson de traduzir os fragmentos da lírica grega antiga de uma maneira que aproxima linguagem/situação/personagem da nossa realidade de hoje, aumentando a acessibilidade a esses textos. Para deixar isso em evidência, decidi manter uma camada trifásica: grego, inglês, português brasileiro, para que o público leitor que não tenha familiaridade com o grego nem conheça essa tradição lírica antiga, ou seja, a maioria de nós, possa brincar de perceber as dinâmicas entre o inglês e o português brasileiro dentro dos poemas.

Agradeço a importante parceria das revisoras Emanuela Siqueira e Clara Crepaldi para a realização do livro como ele está sendo apresentado ao paladar de vocês agora. E à editora Bazar do Tempo que investe na tradução feminista, incentivando sua circulação por meio de debates, ciclos de leitura e conversas como esta aqui.

JULIA RAIZ

Prefácio

"O pião", de Kafka, é a história de um filósofo que quando tem tempo fica entre as crianças, tentando agarrar piões a girar. Conseguir pegar um pião girando deixa ele feliz por um momento, acredita "que o conhecimento de qualquer insignificância, por exemplo, o de um pião que girava, era suficiente ao conhecimento do geral". O desgosto surge quase ao mesmo tempo do prazer, ele joga o pião no chão, vai embora. Ainda assim, a esperança do entendimento volta a tomar conta dele sempre que as crianças iniciam os preparativos com os piões-giradores: "e, se o pião girava, a esperança se transformava em certeza enquanto ele corria até perder o fôlego atrás do pião. Mas quando depois retinha na mão o estúpido pedaço de madeira, ele se sentia mal".[1]

A história é sobre o prazer que temos com a metáfora. Um sentido gira, permanecendo de pé sobre um eixo de normalidade, alinhado com as convenções de conotação e denotação, e, ainda assim: girar não é normal, e é impertinente dissimular a retidão da normalidade por meio desse movimento fantástico. Qual é a relação entre a impertinência e a esperança de entendimento? Dar prazer?

---

1 F. Kafka, *The Complete Stories*. Ed. N. N. Glatzer, 1971. [Ed. bras.: *Narrativas do espólio*. Trad. Modesto Carone. São Paulo: Companhia das Letras, 2002.] (N.T.)

A história diz respeito ao porquê a gente ama se apaixonar. A beleza gira, e a mente se move. Captar a beleza seria entender como é possível essa estabilidade impertinente dentro da vertigem. Mas não, o prazer não precisa chegar tão longe. Correr sem fôlego, ainda que sem chegar, é em si mesmo uma delícia, um momento em suspensão de esperança viva.

A supressão da impertinência não é o objetivo de quem ama. Tampouco consigo acreditar que esse filósofo esteja realmente correndo atrás do entendimento. Acho que, em vez disso, ele se tornou um filósofo (ou seja, uma pessoa cuja profissão é se deliciar com o entendimento) para se equipar com pretextos para correr atrás de piões.

ANNE CARSON
Princeton, Nova Jersey
Agosto de 1985

Doce-Amargo

Safo foi a primeira a chamar eros de *"doce-amargo"*. Ninguém que já se apaixonou discorda. O que significa essa palavra?

Eros parecia a Safo uma experiência ao mesmo tempo de prazer e dor. Aqui temos contradição e talvez paradoxo. Perceber esse eros pode dividir a mente em duas. Por quê? Os componentes da contradição podem parecer, à primeira vista, óbvios. Tomamos por certo, como fez Safo, a doçura do desejo erótico; sua prazerabilidade sorri para nós. Mas a amargura é menos óbvia. Podem existir várias razões para explicar por que aquilo que é doce também deve ser amargo. Podem existir várias relações entre os dois sabores. Poetas elaboraram a questão de diferentes maneiras. A formulação da própria Safo é um bom ponto de partida para traçar as possibilidades. O fragmento relevante diz assim:

> Ἔρος δηὖτέ μ' ὁ λυσιμέλης δόνει,
> γλυκύπικρον ἀμάχανον ὄρπετον

> *Eros once again limb-loosener whirls me*
> *sweetbitter, impossible to fight off, creature stealing up*

> Eros mais uma vez afrouxa-membros me torce
> doce-amargo, impossível de resistir, criatura a roubar
>
> (LP, FR. 130)¹

É difícil de traduzir. "Doce-amargo" soa errado, a tradução padrão em inglês "bittersweet" [amargo-doce] inverte os termos do composto *glukupikron* de Safo. Isso deveria nos preocupar? Se a ordenação de Safo tem uma intenção descritiva, o que está sendo dito aqui é que eros traz primeiro doçura, depois amargura: a poeta classifica cronologicamente as possibilidades. A experiência de um grande número de pessoas que já se apaixonaram validaria tal cronologia, sobretudo na poesia, em que a maioria dos amores termina mal. Mas é improvável que seja isso que Safo queira dizer. Seu poema começa com uma localização dramática da situação erótica no tempo (*dēute*) e fixa a ação erótica no presente do indicativo (*donei*). Em vez da história de um caso de amor, ela registra o instante do desejo. Um momento vacila sob a pressão de eros; um estado mental se divide. O que está em questão é uma simultaneidade de prazer e dor. O aspecto aprazível é nomeado primeiro, presumimos, porque é menos surpreendente. A ênfase é colocada no outro lado do fenômeno, o lado problemático, cujos atributos avançam numa enxurrada de consoantes suaves (verso 2). Eros se move ou espreita sua vítima de algum lugar de fora: *orpeton*. Nenhuma resistência pode combater esse avanço: *amachanon*. O desejo, então, não é nem habitante nem aliado da pessoa desejante. Alheio à vontade

---

1 Nesta edição, as referências aos versos da lírica grega serão mantidas entre parênteses no corpo do texto, como costume nos estudos clássicos. Na lista de abreviações deste volume é possível identificar as siglas e, como complemento, a seção Referências, o Índice remissivo e o Índice de citações discutidas no livro. (N.E.)

desta, de fora, o desejo se impõe irresistivelmente sobre ela. Eros é um inimigo. Sua amargura deve ter o sabor da inimizade. Seria ódio. "Amar os amigos e odiar os inimigos" é uma prescrição arcaica e padrão da moral responsiva. Amor e ódio constroem entre si a maquinaria do contato humano. Faz sentido localizar os dois polos desse afeto dentro de um único evento emocional que é o eros? Provavelmente, sim, se amigo e inimigo convergem dentro do ser que é a ocasião do afeto. A convergência cria um paradoxo, mas que é quase um clichê para a imaginação literária moderna. "E o ódio começa onde o amor termina...", sussurra Anna Kariênina, enquanto caminha em direção à Estação de Moscou e a um fim do dilema do desejo. Na verdade, o paradoxo erótico é um problema anterior ao próprio Eros. Nós o encontramos encenado, pela primeira vez, na muralha de Troia, em uma cena entre Helena e Afrodite. A troca entre elas é tão certeira quanto um paradigma. Homero nos mostra Helena, encarnação do desejo, farta das imposições de eros, desafiando uma ordem dada por Afrodite para que ela servisse o leito de Páris. A deusa do amor responde com raiva, empunhando o paradoxo erótico como uma arma:

μή μ' ἔρεθε σχετλίη, μὴ χωσαμένη σε μεθείω,
τὼς δέ σ' ἀπεχθήρω ὡς νῦν ἔκπαγλ' ἐφίλησα

*Damn you woman, don't provoke me—I'll get angry
and let you drop!
I'll come to hate you as terribly as I now love you!*

Mulher maldita, não me provoque – eu vou ficar com raiva
e te abandonar!
Vou te odiar tão terrivelmente quanto agora te amo!

(IL. 3.414-15)

Helena obedece na hora; amor e ódio juntos formam um inimigo irresistível.

A simultaneidade do amargo e doce que nos surpreende no adjetivo *glukupikron* de Safo é construída de forma diferente no poema de Homero. A convenção épica encena estados emotivos internos de maneira dinâmica e linear, de modo que uma mente dividida possa ser lida a partir de uma sequência de ações antitéticas. Homero e Safo, contudo, concordam em apresentar a divindade do desejo como um ser ambivalente, ao mesmo tempo amigo e inimigo, que informa a experiência erótica com um paradoxo emocional.

Eros também aparece em outros gêneros e poetas como um paradoxo de amor e ódio. Aristófanes, por exemplo, nos conta que o jovem sedutor libertino Alcibíades foi capaz de inspirar um sentimento como a paixão no *dēmos* grego:

ποθεῖ μέν, ἐχθαίρει δέ, βούλεται δ' ἔχειν.

For they love him and they hate him
and they long to possess him.

Pois eles o amam e o odeiam
e desejam possuí-lo.

(RAN. 1425)

No *Agamêmnon* de Ésquilo, Menelau é descrito vagando pelo palácio vazio depois da partida de Helena. Os quartos parecem assombrados por ela; Menelau chega ao quarto do casal e suplica pelos "sulcos de amor na cama" (411). É desejo que ele sente (*pothos*, 414), sem dúvida, mesmo assim o ódio se infiltra para preencher o vazio (*echthetai*):

πόθῳ δ' ὑπερποντίας
φάσμα δόξει δόμων ἀνάσσειν·
εὐμόρφων δὲ κολοσσῶν
ἔχθεται χάρις ἀνδρί,
ὀμμάτων δ' ἐν ἀχηνίαις
ἔρρει πᾶς Ἀφροδίτα.

Because of his longing for something gone across
   the sea
a phantom seems to rule the rooms,
and the grace of statues shaped in beauty
comes to be an object of hate for the man.
In the absences of eyes
   all Aphrodite is vacant, gone.

Por causa da sua ânsia por algo que atravessou
   o mar
um fantasma parece governar os quartos,
e a graça das estátuas moldadas em beleza
chega a ser um objeto de ódio do homem.
Na ausência de olhos,
   toda Afrodite está vazia, se foi.

(AG. 414-19)

Amor e ódio também fornecem um tema para o epigrama helenístico. A injunção de Nicarco à amada é típica:

Εἴ με φιλεῖς, μισεῖς με· καὶ εἰ μισεῖς, σὺ φιλεῖς με·
εἰ δέ με μὴ μισεῖς, φίλτατε, μή με φίλει.

*If you love me, you hate me. And if you hate me, you
   love me.
Now if you don't hate me, beloved, don't love me.*

Se você me ama, você me odeia. E se você me odeia, você
   me ama.
Agora, se você não me odeia, amada, não me ame.

(ANTH. PAL. 11.252)

O epigrama de Catulo talvez seja o destilado mais elegante que temos desse clichê:

Odi et amo. quare id faciam, fortasse requiris.
   nescio, sed fieri sentio et excrucior.

*I hate and I love. Why? you might ask.
   I don't know. But I feel it happening and I hurt.*

Odeio e amo. Por quê? Você quer saber.
   Não sei. Mas sinto acontecendo e me dói.

(CATULO 85)

Às vezes, poetas da tradição lírica grega conceituam a condição erótica assim de maneira contundente, mas Safo e seus sucessores geralmente preferem fisiologia a conceitos. O momento em que a alma sai de si em desejo é concebido como um dilema do corpo e dos sentidos. Na língua de Safo, como vimos, é um momento amargo e doce. Esse gosto ambivalente é desenvolvido, em poetas posteriores, em "mel amargo" (*Anth. Pal.* 12.81), "doce ferida" (*Anth. Pal.* 12.126), e "Eros de lágrimas doces" (*Anth. Pal.*12.167). Eros dá um nocaute na pessoa apaixonada usando o choque entre quente e frio no poema de Anacreonte:

μεγάλῳ δηὖτέ μ' Ἔρως ἔκοψεν ὥστε χαλκεύς
πελέκει, χειμερίῃ δ' ἔλουσεν χαράδρῃ.

With his huge hammer again Eros knocked me like a
   blacksmith
and doused me in a wintry ditch

De novo com seu enorme martelo Eros me derrubou como um
   ferreiro
e na vala invernal me encharcou por inteiro

(PMG 413)

Enquanto Sófocles compara a experiência a um pedaço de gelo derretendo em mãos quentes (Radt, fr. 149).[2] Poetas posteriores misturam as sensações de quente e frio com a metáfora do gosto para inventar "doce fogo" (*Anth. Pal.* 12.63), amantes "queimados pelo mel" (*Anth. Pal.* 12.126), armamentos eróticos "temperados em mel" (Anac. 27E). Íbico enquadra eros em um paradoxo de molhado e seco, uma vez que a tempestade escura do desejo lança contra ele não a chuva, mas "loucuras esturricadas" (PMG 286.8-11). Esses tropos podem ter como base antigas teorias de fisiologia e psicologia, que associam a ação prazerosa, desejável ou boa com sensações de calor, liquidez, derretimento, e a ação desagradável ou odiosa com frio, congelamento, rigidez.

---

2   Sobre o fragmento de Sófocles, ver também a seção "Prazer-Gelo" mais adiante. (N.A.)

Mas aqui não existe um mapa simples das emoções. O desejo não é simples. Em grego, o ato de amor é uma mistura (*mignumi*) e o desejo derrete os membros (*lusimelēs*, cf. Safo fr. 130 acima). Os limites do corpo, as categorias do pensamento, confundem-se. O deus que derrete membros começa a derrotar o amante (*damnatai*) como faria com um inimigo no campo de batalha épico:

ἀλλά μ' ὁ λυσιμελὴς ὦταῖρε δάμναται πόθος.

Oh comrade, the limb-loosener crushes me: desire.

Ó camarada, o afrouxa-membros me esmaga: desejo.

(ARQUÍLOCO, WEST, IEG 196)

O formato do amor e do ódio é perceptível, então, por meio de variadas crises dos sentidos. Cada crise exige decisão e ação, mas a decisão é impossível, e a ação, um paradoxo, já que eros embaralha os sentidos. A vida cotidiana pode ficar complicada; poetas falam sobre as consequências para o comportamento e o juízo:

οὐκ οἶδ ὅττι θέω· δίχα μοι τὰ νοήμματα

I don't know what I should do: two states of mind
    in me....

Não sei o que devo fazer: dois estados mentais dentro
    de mim...

(LP, FR. 51)

Safo diz, e se interrompe.

ἐρέω τε δηὖτε κοὐκ ἐρέω
καὶ μαίνομαι κοὐ μαίνομαι.

I'm in love! I'm not in love!
I'm crazy! I'm not crazy!

Estou apaixonado! Não estou apaixonado!
Estou louco! Não estou louco!

(PMG 428)

chora Anacreonte.

ἐξ οὗ δὴ νέον ἔρνος ἐν ἠϊθέοις Διόφαντον
λεύσσων οὔτε φυγεῖν οὔτε μένειν δύναμαι.

When I look at Diophantos, new shoot among the
  young men,
I can neither flee nor stay

Quando olho para Diofanto, carne nova entre os
  rapazes,
Não posso nem fugir nem ficar

(ANTH. PAL. 12.126.5-6)

"O desejo continua puxando o amante para a ação e para a não ação", é a conclusão de Sófocles (Radt, fr. 149). Não é só a ação que sucumbe. O julgamento moral também é fraturado sob a pressão do paradoxo, dividindo o desejo em uma coisa boa e uma coisa ruim ao mesmo tempo. O Eros de Eurípides maneja um arco que tem efeito "duplo", pois pode oferecer uma vida apaixonante ou o colapso total (*IA* 548-49). Eurípides chega a duplicar o próprio deus do amor: seu gêmeo Erotes aparece em um fragmento de sua peça perdida, *Estenebeia*. Um deles guia o amante em uma vida de virtude. O outro é o pior inimigo de qualquer amante (*echthistos*) e o leva direto para a casa da morte.[3] Amor e ódio bifurcam Eros.

Vamos voltar à questão do começo, a saber, o significado do adjetivo *glukupikron* de Safo. Um contorno começa a aparecer no exame que fazemos dos textos poéticos. "Eros doce-amargo" atinge em cheio a película bruta da mente da pessoa que ama. O paradoxo é o que se forma na placa sensibilizada do poema, uma imagem negativa a partir da qual podem ser criadas imagens positivas. Independentemente de ser apreendido como um dilema de sensação, ação ou valor, eros imprime o mesmo fato contraditório: amor e ódio convergem no desejo erótico.

Por quê?

---

3   D. L. Page, *Select Papyri*, Mass., 1932, 3.128.22-25. (N.A.)

Já foi

Talvez existam várias maneiras de responder. A mais evidente vem do grego. A palavra grega eros denota "querer", "falta", "desejo pelo que não está lá". Quem ama quer o que não tem. É, por definição, impossível para o amante ter o que deseja se, assim que ele tem, não quer mais. É mais do que um jogo de palavras. Há um dilema dentro de eros que tem sido considerado crucial por pensadores desde Safo até hoje. Platão vira e mexe volta para ele. Quatro de seus diálogos exploram o que significa dizer que o desejo só pode ser por aquilo que falta, não pelo que está à mão, não pelo que está presente, não por algo que alguém possua nem que esteja em seu ser: *eros* implica *endeia*. Como Diotima coloca no *Simpósio*, Eros é um bastardo capturado pela Riqueza na Pobreza e seu lar é uma vida de carência (203b-e). A fome é a analogia escolhida por Simone Weil para esse impasse:

> Todos os nossos desejos são contraditórios, como o desejo por comida. Eu quero que a pessoa que eu amo me ame. No entanto, se ele é totalmente devotado a mim, ele para de existir e eu deixo de amá-lo. E enquanto ele não for totalmente devotado a mim, ele não me ama o suficiente. Fome e saciedade.[1]

---

1   S. Weil, *The Simone Weil Reader*. Ed. G. A. Panichas, 1977, p. 364. (N.A.)

Emily Dickinson formula a questão de maneira mais atrevida em "I Had Been Hungry" ["Tenho estado com fome"]:

> Então pensei
> que a fome é o modo de ver
> de quem está fora das janelas
> entrar põe tudo a perder[2]

Petrarca interpreta o problema com termos da antiga fisiologia do fogo e do gelo:

> Sei seguir enquanto fujo do meu fogo
> congelo quando presente; quando ausente, quente é o meu desejo.
>
> ("TRIONFO D'AMORE")

Sartre tem menos paciência com o ideal contraditório do desejo, esse "duplo engano". Ele enxerga nas relações eróticas um sistema de reflexões infinitas, um jogo de espelhos enganador que carrega dentro de si a própria frustração.[3] Para Simone de Beauvoir, o jogo é uma tortura: "O cavalheiro que parte para novas aventuras ofende a dama, mas ela não sente nada além de desprezo se ele permanecer a seus pés. Esta é a tortura do amor

---

2 E. Dickinson, *The Complete Poems*. Ed. T. H. Johnson, 1960. (N.A.) [Ed. bras.: *Poesia completa, volume 1: os fascículos*. Brasília/Campinas: UnB/Unicamp, 2020, p. 313.] A formatação do texto difere da fonte e acompanha o uso de Carson. (N.T.)
3 J.-P. Sartre, *Being and Nothingness*, Trad. M. E. Barnes, 1956, pp. 444-45. (N.A.)

impossível...".⁴ Jacques Lacan elabora a questão de maneira um pouco mais enigmática quando diz que "o desejo... evoca a falta do ser sob as três figuras do nada, que constitui a base da demanda por amor, do ódio que chega a negar o ser do outro e do elemento indizível que se ignora em seu pedido".⁵

Parece que todas essas vozes estão buscando uma percepção comum. Todo desejo humano está posicionado em um eixo de paradoxo, ausência e presença são seus polos, amor e ódio, suas energias motivadoras. Vamos voltar mais uma vez àquele poema de Safo que já vimos. Esse fragmento (LP, fr. 130), conforme foi preservado no texto e escólios de Heféstion, é seguido sem quebras por dois versos na mesma métrica, que podem ser do mesmo poema:

Ἄτθι. σοὶ δ᾽ ἔμεθεν μὲν ἀπήχθετο
φροντίσδην, ἐπί δ᾽ Ἀνδρομέδαν πόται

Atthis, your care for me stirred hatred in you
and you flew to Andromeda.

Átis, seu carinho por mim despertou ódio em você
então você voou para Andrômeda.

(LP, FR. 131)

Quem deseja o que não foi embora? Ninguém. Os gregos deixaram isso bem claro. Inventaram eros para expressar isso.

---

4 S. De Beauvoir, *The Second Sex*. Trad. H. M. Parshley, 1953, p. 619. (N.A.)
5 J. Lacan, Écrits. Paris, 1966, p. 28. (N.A.)

Artimanha

"Que não entre aqui quem não souber geometria."
(INSCRIÇÃO SOBRE A PORTA DA ACADEMIA DE PLATÃO)

Existe algo de puro e indubitável na noção de que eros é falta. Além disso, é uma noção que, se adotada, tem um efeito poderoso nos hábitos e nas maneiras com que alguém representa o amor. Podemos enxergar isso claramente em um exemplo: considere o fragmento 31 de Safo, um dos poemas de amor mais conhecidos da nossa tradição:

φαίνεταί μοι κῆνος ἴσος θέοισιν
ἔμμεν' ὤνηρ, ὄττις ἐνάντιός τοι
ἰσδάνει καὶ πλάσιον ἆδυ φωνεί-
σας ὐπακούει

καὶ γελαίσας ἰμέροεν, τό μ' ἦ μὰν
καρδίαν ἐν στήθεσιν ἐπτόαισεν,
ὡς γὰρ ἔς σ' ἴδω βρόχε' ὤς με φώναι-
σ' οὐδ' ἒν ἔτ' εἴκει,

ἀλλ' ἄκαν μὲν γλῶσσα †ἔαγε λέπτον
δ' αὔτικα χρῷ πῦρ ὐπαδεδρόμηκεν,
ὀππάτεσσι δ' οὐδ' ἒν ὄρημμ', ἐπιρρόμ-
βεισι δ' ἄκουαι,

†έκαδε μ' ἴδρως ψῦχρος κακχέεται† τρόμος δὲ
παῖσαν ἄγρει, χλωροτέρα δὲ ποίας
ἔμμι, τεθνάκην δ' ὀλίγω 'πιδεύης
φαίνομ' †αι

He seems to me equal to gods that man
who opposite you
sits and listens close
to your sweet speaking
and lovely laughing—oh it
puts the heart in my chest on wings
for when I look at you, a moment, then no speaking
is left in me

no: tongue breaks, and thin
fire is racing under skin
and in eyes no sight and drumming
fills ears

and cold sweat holds me and shaking
grips me all, greener than grass
I am and dead—or almost
I seem to me.

Parece-me igual aos deuses aquele homem
que se senta à sua frente
e ouve de perto
o seu doce falar

e bela risada – ah, isso
deixa em asas o coração que tenho no peito

porque quando olho para você, um momento, a fala
em mim desaparece

não: a língua rasga, e um fogo
fino corre sob a pele
e nos olhos não há visão e um rumor
enche os ouvidos

e o suor frio me abraça e o tremor
me agarra por inteira, mais verde que grama
estou e morta — ou quase
assim eu pareço a mim.

(LP, FR. 31)

O poema flutua até nós em forma de cenário. Mas não temos o programa da peça. Os atores entram e saem de foco, anônimos. A ação não é localizada. Não sabemos por que a menina está rindo nem o que ela sente pelo homem. Ele paira fora das luzes da ribalta, em certa medida imortal na linha 1 (*isos theoisin*), e na linha 2 se dissolve em um pronome (*ottis*) tão indefinido que especialistas não conseguem chegar a um acordo a respeito do que ele significa. A poeta que encena a *mise en scène* surge misteriosamente de trás das asas de uma oração relativa no verso 5 (*to*) e assume a ação.

Não é um poema sobre essas três pessoas como indivíduos, mas sobre a figura geométrica formada pela percepção que uma tem da outra, e as lacunas nessa percepção. É uma imagem das distâncias entre essas pessoas. Linhas de força sutis coordenam as três. Pela primeira linha, viaja a voz e o riso da menina até um homem que ouve atentamente. Uma segunda tangente liga a moça à poeta. Entre o olho da poeta e o homem que ouve estala uma terceira corrente. A figura é um triângulo. Por quê?

Uma resposta óbvia seria que esse é um poema sobre ciúme. Vários especialistas disseram isso. No entanto, o mesmo número de pessoas leitoras nega que exista qualquer indício de ciúme aqui.[1] Como é possível essa discordância geral? Estamos operando com a mesma ideia de ciúme?

A palavra "ciúme" vem do grego *zēlos* que significa "zelo" ou "perseguição fervorosa". É um movimento espiritual quente e corrosivo que surge do medo e se alimenta do ressentimento. Quem ama e sente ciúmes teme que a pessoa amada prefira outro alguém e se ressente de qualquer outro relacionamento que a pessoa amada tenha. É uma emoção que tem a ver com posicionamento e deslocamento. A pessoa que ama e é ciumenta cobiça um lugar particular na afeição da amada e sofre com a ansiedade de que outro alguém tome o seu lugar. Vou mostrar uma imagem, de tempos mais modernos, do padrão inconstante que é o ciúme. Durante a primeira metade do século XV, um tipo de dança de ritmo lento chamado *bassa danza* tornou-se popular na Itália. Essas danças eram semidramáticas e expressavam as relações psicológicas de forma transparente. "Na dança chamada *Ciúme*, três homens e três mulheres trocam parceiros e cada homem passa por um estágio de ficar ali parado sozinho, separado dos outros".[2] O ciúme é uma dança em que todo mundo se move, pois é a *instabilidade* da situação emocional que ataca a mente da pessoa ciumenta.

---

1 Os dois comentadores mais recentes desse poema reúnem estudos a favor e contra o ciúme: Burnett, 1983, pp. 232-43; Corrida, 1983, pp. 92-101. (N.A.)

2 M. Baxandall, *Painting and Experience in Fifteenth Century Italy: A Primer in the Social History of Pictorial Style*, 1972, p. 78. (N.A.)

Nenhuma dessas permutações atinge Safo no fragmento 31. Na verdade, o que acontece com ela é o contrário. Se ela trocasse de lugar com o homem que escuta com atenção, é provável que fosse totalmente destruída. Ela não cobiça o lugar do homem nem teme que o lugar dela seja usurpado. Ela não sente nenhum ressentimento por ele. Está simplesmente espantada com a audácia dele. O papel desse homem na estrutura poética reflete o papel do ciúme nos sentimentos de Safo. Nenhum desses papéis é nomeado. É a beleza da amada que afeta Safo; a presença do homem é de alguma forma necessária para delinear esse evento emocional – resta saber como. "Todos os amantes apresentam esses sintomas", diz Longino, o crítico antigo a quem devemos a preservação do texto de Safo (*Do Sublime* 10.2). O ciúme pode estar implícito sempre que surgem os sintomas do amor, mas o ciúme não explica a geometria desse poema.

Outra teoria popular sobre o fragmento 31 é a teoria retórica, que explica o homem que ouve atentamente como uma necessidade poética.[3] Ou seja, ele não deve ser entendido como uma pessoa real, mas como uma hipótese poética, criado para mostrar, por contraste, o quanto Safo é profundamente afetada pela presença da amada. Assim sendo, ele é um clichê da poesia erótica, pois é uma manobra retórica comum elogiar a pessoa amada dizendo: "Ele deve ser feito de pedra, quem conseguiria resistir a você?". Píndaro, por exemplo, em um fragmento bem conhecido (*Snell-Maehler*, fr. 123), contrasta a própria reação diante de um rapaz bonito ("Eu derreto feito cera enquanto o calor me morde") com a de um observador impassível ("cujo coração escuro foi forjado de adamanto ou ferro em fogo frio"). O argumento retó-

---

[3] Ver nota 1. (N.A.)

rico pode ser reforçado quando somado a uma comparação com a impassibilidade divina, como no epigrama helenístico que diz "Se você olhou para o meu amado e não foi derrotado pelo desejo, você é totalmente deus ou totalmente pedra" (*Anth. Pal.* 12.151).[4] Com essa técnica contrastiva, o amante, além de elogiar o amado, incidentalmente, implora por simpatia, ao alinhar-se com a reação humana normal: só um coração desnaturado ou sobrenatural não seria movido pelo desejo por tal objeto. É isso que Safo está fazendo no fragmento 31?

Não. Em primeiro lugar, falta no poema de Safo o registro da normalidade. Seu registro de emoção erótica é singular. Podemos reconhecer os sintomas de Safo quando acessamos alguma memória nossa, pessoal, mas é impossível acreditar que ela esteja se representando como uma amante comum. Além disso, o elogio à amada não se destaca como objetivo principal do poema. A voz e a risada da moça são uma provocação significativa, mas ela desaparece no verso 5, e o corpo e mente da própria Safo são o assunto inconfundível de tudo o que vem depois. Elogios e reações eróticas normais são coisas que acontecem no mundo real: esse poema não acontece no mundo real. Safo nos diz duas vezes, enfaticamente, a localização real do poema: "Parece-me ele... eu pareço a mim". É uma investigação sobre aparência e acontece inteiramente dentro da mente dela.[5]

Não é sobre ciúme; não é sobre o mundo normal das reações eróticas; não é sobre elogio. É um poema sobre a mente da aman-

---

4 Ver K. J. Dover, *Greek Homosexuality*, Mass., 1978, p. 178, n. 18; W. H. Race. "'That Man' in Sappho fr. 31 LP", Classical Antiquity, vol. 2, 1983, pp. 93-94. (N.A.)
5 Sobre a aparência nesse poema, ver E. Robbins, "'Everytime I Look at You...' Sappho Thirty-One", *Transactions of the American Philological Association*, vol. 110, 1980, pp. 255-61. (N.A.)

te no ato de construir desejo por si mesma. O tema de Safo é eros como *aparece* para ela, ela não reivindica nada além disso. Uma única consciência representa a si mesma; um único estado mental é exposto à vista.

Vemos com nitidez qual formato o desejo tem ali: um circuito de três pontos é visível dentro da mente de Safo. O homem que ouve atentamente não é um clichê sentimental ou artifício retórico. Ele é uma necessidade cognitiva e intencional. Safo percebe o desejo identificando-o *como* uma estrutura de três partes. Podemos, com a terminologia tradicional da teorização erótica, referir-nos a essa estrutura como um triângulo amoroso e podemos ser tentadas, usando a aspereza pós-romântica, a descartá-la como uma artimanha. Mas a artimanha do triângulo não é uma manobra mental trivial. Conseguimos ver no triângulo a constituição radical do desejo. Pois, se eros é falta, sua ativação exige três componentes estruturais — amante, amada e aquilo que se interpõe entre elas. Essas três pessoas são três pontos de transformação em um circuito de possível relação, eletrizadas pelo desejo para que elas toquem sem se tocar. Unidas, são mantidas separadas. O terceiro componente desempenha um papel paradoxal, pois ao mesmo tempo conecta e separa, marcando que dois não são um, irradiando a ausência cuja presença é exigida por eros. Quando os pontos do circuito se conectam, a percepção dá um salto. E algo se torna visível, na trajetória triangular onde estão se movendo os volts, que não seria visível sem a estrutura de três partes. A diferença entre o que é e o que poderia ser se torna visível. O ideal é projetado sob uma tela do real, numa espécie de estereoscopia. O homem está sentado feito um deus, a poeta quase morre: dois polos de reação dentro da mesma mente desejante. A triangulação permite que ambos estejam presentes ao mesmo tempo por meio de um deslocamento na distância, substituindo a ação erótica por uma artimanha do coração e da linguagem. Pois nessa dança as pessoas não se movem. O desejo se move. Eros é um verbo.

Táticas

A artimanha de inserir um rival entre quem ama e a pessoa amada tem uma eficácia imediata, como mostra o poema de Safo, contudo, há mais de uma maneira de triangular o desejo. Nem todas têm uma aparência de triângulo quando em ação, mas todas compartilham uma preocupação comum: representar eros adiado, desafiado, obstruído, faminto, organizado em torno de uma ausência radiante – representar eros como falta.

Qualquer espaço tem poder. *L'Amour d'loonh* [o "amor à distância"] é o que os ardilosos trovadores chamavam de amor cortês. Vimos Menelau, em seu palácio vazio, ser assombrado pelas "ausências de olhos nas estátuas" (Aesch. *Ag.* 411). Podemos comparar esse vazio à *Eneida* de Virgílio, em que o espaço do desejo ecoa em torno de Dido nas ruas de Cartago:

> *ilium absens absentem auditque uidetque*
>
> ... him not there not there she hears him, she sees him.
>
> ... ele não estando lá não estando lá ela o ouve, ela o vê.
>
> (4.83)

Um amante como Teógnis, por outro lado, acomoda muito bem a dor da presença ausente, anunciando ao rapaz que gosta:

Οὔτε σε κωμάζειν ἀπερύκομεν οὔτε καλοῦμεν·
ἀργαλέος παρεών, καὶ φίλος εὖτ' ἂν ἀπῇς.

We aren't shutting you out of the revel, and we aren't inviting you, either.

For you're a pain when you're present, and beloved when you're away.

Não estamos te excluindo da festa nem
te convidando.

Pois você é um saco quando está presente e amado
quando está longe.[1]

(1207-08)

O poder que o espaço tem de separação pode ser marcado por vários tipos de atividade; dá para correr pelo espaço, por exemplo, como faz Atalanta quando estabelece, entre ela e seus pretendentes, quilômetros de distância:

... ὥς ποτέ φασιν
Ἰασίου κούρην ἤθεον Ἱππομένην,

---

[1] O texto é o de J. Carrière (*Théognis: Poèmes élégiaques*. Paris, 1962), contra M. L. West (*Hesiod: Theogony*. Oxford, 1966), cujos *harpaleos* pálidos (para o *argaleos* dos códices, depois de Bergk) reduz um quiasmo bastante agitado a quase nada. (N.A.)

ὡραίην περ ἐοῦσαν, ἀναινομένην γάμον ἀνδρῶν
φεύγειν· ζωσαμένη δ᾽ ἔργ᾽ ἀτέλεστα τέλει
πατρὸς νοσφισθεῖσα δόμων ξανθὴ Ἀταλάντη·
ᾤχετο δ᾽ ὑψηλὰς ἐς κορυφὰς ὀρέων
φεύγονσ᾽...

... *as they say once*
the daughter of Iasios fled young Hippomenes

and said No to marriage, although she was ripe.
But she girded herself to achieve the impossible.

Leaving behind her the house of her father,
lighthaired Atalanta,
gone to the high tops of mountains
in flight...

... como contam certa vez
   a filha de Íaso fugiu do jovem Hipomene
e disse Não ao casamento, embora já fosse madura.
  Mas usou uma cinta para alcançar o impossível.
Deixando para trás a casa de seu pai,
  a loira Atalanta,
    foi para os altos cumes das montanhas
voando...

(TEÓGNIS 1287-93)

A Guerra de Troia e uma longa tradição de missões eróticas representam o outro lado (de quem ama) dessa atividade estereotipada. Perseguição e fuga são um *topos* da poesia erótica e da iconografia gregas desde o período arcaico. Vale dizer que, nessas cenas tão convencionais, o momento do desejo ideal, que pintores de vasos e poetas tendem a focalizar, não é o momento do *coup de foudre* [amor à primeira vista], não é quando os braços da pessoa amada se abrem para receber quem a ama, nem quando esses dois seres se unem em felicidade. O que é retratado é o momento em que a pessoa amada vira e vai embora correndo. Os verbos *pheugein* [fugir] e *diōkein* [perseguir] são itens fixos no vocabulário técnico erótico dos poetas, muitos dos quais admitem que preferem perseguir a capturar. "Existe certo prazer primoroso na oscilação do equilíbrio" é o que Teógnis diz dessa tensão erótica (1372). Calímaco caracteriza seu próprio eros como um caçador perverso "ignorando o jogo que está ali disponível, pois sabe apenas perseguir o que foge" (*Epigrammata* 31.5-6).

Aqueles que amam e não querem correr podem atirar: uma maçã é o míssil mais tradicional em declarações de amor (ver Ar. *Nub.* 997). A bola do amante, ou *sphaira*, é outro mecanismo convencional de sedução, muitas vezes lançado como um desafio amoroso (ver Anacreonte 358 PMG; *Anth. Pal.* 5.214, 6.280) que depois simboliza o próprio deus, como Eros, o Jogador de Bola, no verso posterior (Ap. Rhod. 3.132-41). A olhada de relance também pode ser um projétil bastante potente. Os poetas invocam um vocabulário de insinuações que vão desde o "olhar oblíquo" de uma potranca sedutora da Trácia (Anacreonte 417 PMG) ao olhar de soslaio de Astimeloisa, "que derrete mais do que sono ou morte" (Álcman 3.61-62 PMG), e o olhar dissolve-membros do próprio Eros que surge vindo de "debaixo das pálpebras azuis" (Íbico 287 PMG).

Pálpebras são importantes. Das pálpebras pode surgir uma emoção erótica que faz vibrar o intervalo que existe entre duas pessoas:

Aidōs habita nas pálpebras das pessoas sensíveis,
assim como *hybris* nas das insensíveis. Um homem sábio
saberia disso.

(STOB. FLOR. 4.230M)

Aidōs [vergonha] é uma espécie de voltagem, tensão elétrica, de decoro que é descarregada entre duas pessoas quando elas se aproximam uma da outra para viver a crise que é o contato humano; é uma sensibilidade instintiva e mútua em relação à fronteira que existe entre elas. É a vergonha sentida, com razão, por um suplicante diante da lareira (ver *Od.* 17.578), um visitante diante do anfitrião (ver *Od.* 8.544), a juventude que abre caminho para a velhice (ver Soph. OC 247), e também a timidez compartilhada que irradia entre quem ama e a pessoa amada (ver Pind. *Pyth.* 9.9-13). No provérbio, a residência de *aidōs* sobre pálpebras sensíveis é uma maneira de dizer que *aidōs* explora o poder do olhar de relance retendo-o, e também que é preciso vigiar os próprios pés para evitar o passo em falso chamado *hybris*. Em contextos eróticos, *aidōs* pode demarcar uma terceira presença, conforme acontece em um fragmento de Safo que registra a proposta de um homem para uma mulher:

θέλω τί τ' εἴπην, ἀλλά με κωλύει αἴδως....

I want to say something to you, but aidos *prevents
   me....*

Eu quero te dizer uma coisa, mas *aidos* impede
   que eu....

(LP, FR. 137.1-2)

A eletricidade estática da "vergonha" erótica é uma forma bastante discreta de marcar que dois não são um. De maneira mais vulgar, a*idōs* pode se materializar como um objeto ou um gesto. Aqui, de novo, as convenções da pintura de vasos gregos nos auxiliam a compreender as nuances poéticas. Cenas eróticas retratadas em vasos oferecem evidências de que o tema preferido é um eros adiado ou obstruído, em vez de um eros triunfante. Com frequência, vasos pederásticos retratam o seguinte momento: um homem toca um menino no queixo e genitais (o gesto costumeiro de convite erótico), enquanto o menino responde com o gesto (igualmente costumeiro) de dissuasão, braço direito afastando a mão do homem de seu queixo. O diálogo inscrito em um vaso diz: "Me deixa!", "Para com isso!". A imagem desses dois gestos de cortejo, que se interseccionam em um momento de impasse, parece resumir a experiência erótica de acordo com os pintores. "É comum que Eros seja mais doce quando está sendo difícil", diz um poeta helenístico (*Anth. Pal.* 12.153). Cenas heterossexuais, tanto na poesia grega quanto nas artes visuais, fazem um uso significativo do véu da mulher. Uma esposa casta como Penélope na *Odisseia* de Homero "levanta o véu em ambos os lados do rosto" (16.416, 18.210) quando vai confrontar os pretendentes, enquanto a decisão de Medeia de abandonar a castidade por Jasão é indicada por "segurando o véu de lado" (Ap. Rhod 3.444-45). Platão retoma o motivo do véu em uma cena erótica entre Sócrates e Alcibíades em *O banquete*. Alcibíades conta as frustrações do caso de amor que vive com Sócrates. O caso não está indo adiante porque Sócrates, resoluto, falha em reagir à beleza de Alcibíades. Mesmo quando eles dormem na mesma cama, nada acontece. Um manto separa os dois:

Ἐγὼ μέν δὴ ταῦτα ἀκούσας τε καὶ εἰπών, καὶ ἀφεὶς ὥσπερ βέλη, τετρῶσθαι αὐτὸν ᾤμην· καὶ ἀναστάς γε, οὐδ' ἐπιτρέψας τούτῳ εἰπεῖν οὐδὲν ἔτι, ἀμφιέσας τὸ ἱμάτιον τὸ ἐμαυτοῦ τοῦτον—καὶ γὰρ ἦν χειμών—ὑπὸ τὸν τρίβωνα κατακλινεὶς τὸν τουτουὶ, περιβαλὼν τὼ χεῖρε τούτῳ τῷ δαιμονίῳ ὡς ἀληθῶς καὶ θαυμαστῷ, κατεκείμην τὴν νύκτα ὅλην. καὶ οὐδὲ ταῦτα αὖ, ὦ Σώκρατες, ἐρεῖς ὅτι ψεύδομαι. ποιήσαντος δὲ δὴ ταῦτα ἐμοῦ οὗτος τοσοῦτον περιεγένετό τε καὶ κατεφρόνησεν καὶ κατεγέλασεν τῆς ἐμῆς ὥρας καὶ ὕβρισεν—καὶ περὶ ἐκεῖνό γε ᾤμην τὶ εἶναι, ὦ ἄνδρες δικασταί· δικασταὶ γάρ ἐστε τῆς Σωκράτους ὑπερηφανίας—εὖ γὰρ ἴστε μὰ θεούς, μὰ θεάς, οὐδὲν περιττότερον καταδεδαρθηκὼς ἀνέστην μετὰ Σωκράτους, ἢ εἰ μετὰ πατρὸς καθηῦδον ἢ ἀδελφοῦ πρεσβυτέρου.

Well, after I had exchanged these words with him... I got up and, without permitting the man to say anything more, wrapped my own cloak around him—it was winter—stretched out under his threadbare coat, wound my two arms around this genuinely miraculous, amazing man and lay there all night long... And when I had done this, he so scorned and disdained it, and laughed at my beauty and made light of the very thing I thought was a big deal... that when I rose I had no more "slept with" Sokrates than if I had lain down with my father or elder brother.

Bom, depois de ter trocado essas palavras com ele... Me levantei e, sem deixar que o homem dissesse mais nada, enrolei ele com meu manto – era inverno – esticado sob seu casaco esfarrapado, envolvi com meus dois braços esse homem incrível, genuinamente milagroso, e fiquei lá deitado a noite toda... E quando eu fiz isso, ele tanto desprezou e desdenhou de tudo, e riu da minha beleza e fez pouco caso daquilo que eu achava que era muito importante... que quando me levantei eu tinha "dormido com" Sócrates da mesma maneira como se eu tivesse me deitado com meu pai ou irmão mais velho.

(219B-D)

Há duas vestimentas nessa cena e a maneira como Alcibíades as usa é um símbolo concreto do seu próprio desejo contraditório: ele primeiro envolve Sócrates no manto que é seu (porque é uma noite fria de inverno), depois se cobre com o casaco velho de Sócrates e deita na cama, abraçando seu objeto de desejo, que está embrulhado, até de manhã. Tanto o gesto de abraço quanto o gesto de separação são próprios de Alcibíades. Eros é falta: Alcibíades reifica o princípio orientador de quem ama, de maneira quase tão consciente quanto Tristão, que desenha uma espada entre ele e Isolda quando os dois se deitam para dormir na floresta.

Esse princípio também é reificado nas atitudes sociais que cercam quem ama. Uma sociedade, como a nossa por exemplo, que valoriza tanto a castidade quanto a fertilidade das mulheres, atribuirá à amada o papel da inatingibilidade sedutora. Um triângulo excitante se forma entre o rapaz que ama, a moça má que o atrai e a moça boa que o está honrando ao dizer não. Familiarizadas com esse critério duplo (dois pesos e duas medidas), nós podemos encontrar esse arquétipo na Atenas do século V. Os critérios duplos são um tópico de discussão n'*O banquete* de Platão, em que Pausânias descreve a ética contraditória imposta aos amantes homossexuais pela convenção social ateniense (183c-85c). Os costumes da classe alta encorajavam os homens a se apaixonarem e perseguirem rapazes bonitos, ao mesmo tempo que elogiavam os rapazes que desprezavam tais atenções. "Não é simples" compreender ou praticar essa ética, diz Pausânias (183d), que atribui a ela o interessante rótulo *poikilos nomos*. Vejamos o que Pausânias quer dizer.

A frase *poikilos nomos* resume o problema da ambivalência erótica. *Nomos* significa "lei", "costume" ou "convenção" e refere-se ao código de conduta dos amantes atenienses e seus rapazes nos círculos aristocráticos da época. *Poikilos* é um adjetivo aplicável a qualquer coisa variada, complexa ou mutante, por exemplo, um filhote de cervo "manchado", uma asa "decorada com brilhantes", um metal "intrincadamente forjado", um labirinto "complicado", uma mente "abstrusa", uma mentira "sutil", um duplo sentido "enganador". *Nomos* implica algo fixo firmado nos sentimentos e comportamentos convencionais; *poikilos* refere-se ao que cintila com mudança e ambiguidade. A frase beira o oxímoro; ou, no mínimo, a relação entre substantivo e adjetivo é bastante tortuosa. A *nomos* ateniense é *poikilos* na medida em que recomenda um código de comportamento ambivalente (os amantes devem caçar os amados, mas os amados não devem ser pegos). Mas a *nomos* também é *poikilos* conforme se aplica a um fenômeno cuja essência e amorosidade se encontram *na* sua ambivalência. Esse código erótico é uma expressão social da divisão que acontece dentro do coração de quem ama. Os critérios duplos de comportamento refletem pressões duplas ou contraditórias dentro da própria emoção erótica.

A legitimação que a sociedade de Creta deu à ambivalência erótica foi ainda mais flagrante, em razão do costume peculiar do *harpagmos*, um ritual de estupro homossexual perpetuado pelos amantes e sofrido pelos rapazes. O estupro começava com uma troca convencional de presentes e terminava com o estuprador levando o amado embora a cavalo para um retiro de dois meses na clandestinidade. Enquanto o casal se afastava, a família e os amigos do rapaz gritavam frases simbólicas de angústia: "Se o homem é da mesma classe ou de classe superior ao rapaz, as pessoas os seguem e reagem ao estupro apenas o suficiente para satisfazer a lei, mas na verdade estão bem felizes...", confessa o historiador do século IV Éforo (*FGrH* F148). Os papéis desse cenário erótico são convencionais. Os rituais de casamento legítimo, em todo o mundo grego, adotaram semelhantes imagens e atitudes. A farsa do rapto simulado da noiva era a ação central da cerimônia de casamento espartana, e um rito semelhante pode ter sido praticado em Locri e em outros estados gregos, incluindo Atenas.[2] Pintores que retratavam tais rituais em vasos deixavam evidente, por meio de detalhes iconográficos de postura, gesto e expressão facial, que a cena que estava sendo representada era uma cena de resistência e tensão, e não uma escapada feliz e harmoniosa. Pode ser que o noivo sequestrador, enquanto sobe na carruagem nupcial, esteja carregando a noiva com o corpo dela em diagonal ao seu; a noiva expressa relutância com vários gestos assustados da mão e do braço esquerdos; frequentemente ela é vista puxando com uma das mãos o véu que cobre seu rosto em um gesto simbólico de *aidōs* feminino.[3] É preciso enfatizar que essas pinturas, embora evoquem protótipos míticos como o estupro de Perséfone, não devem ser interpretadas em si como cenas míticas, mas como representações ideais de rituais normais de casamento, eriçadas com ambiguidades, como acontece com tais rituais em muitas culturas. Antropólogos explicam as ambiguidades a partir de vários ângulos diferentes, pois o casamento tem analogias com a guerra, a iniciação, a morte ou uma combinação desses elementos em várias sociedades. No entanto, por baixo dessas camadas sociais e religiosas, um fato emocional fundamental exerce uma pressão modeladora sobre os conceitos de icono-

---

2 C. Sirvinou-Inwood, "The Young Abductor of the Lokrian Pinakes", Bulletin of the Institute for Classical Studies, vol. 20, 1973, pp. 12-21. (N.A.)
3 I. Jenkins, "Is There Life after Marriage? A Study of the Abduction Motif in Vase Paintings of the Athenian Wedding Ceremony", Bulletin of the Institute for Classical Studies, vol. 30, 1983, pp. 137-45. (N.A.)

grafia e ritual: eros. Essa sanção social e estética colocada, ao mesmo tempo, sobre a perseguição do amante e a fuga do amado aparece na imagem dos vasos gregos como um momento de impasse no ritual de cortejo; o fundamento conceitual está no caráter tradicionalmente doce-amargo do desejo. *Odi et amo* se interseccionam; aí está o núcleo e o símbolo de eros, no espaço em que o desejo tenta alcançar.

O alcance

"Para que o teu amor e ódio e a mim não destruas, meu bem,
Para me deixar viver, ó me ame e odeie também."

JOHN DONNE, "A PROIBIÇÃO"

Um espaço precisa ser mantido ou o desejo acaba. Safo reconstrói o espaço do desejo em um poema que é como uma pequena, perfeita, fotografia do dilema erótico. Acredita-se que o poema seja um epitálamo (ou parte de um epitálamo) porque o retórico antigo Himério aludiu ao poema durante uma discussão sobre casamento, dizendo:

Foi Safo quem comparou uma menina a uma maçã... e comparou um noivo a Aquiles. (*Orações* 9.16)

Não podemos dizer com certeza se Safo compôs esse poema para um casamento e pretendia que fosse um elogio à noiva, mas o assunto é evidente e permanece compreensível e coerente. É um poema sobre o desejo. Tanto o conteúdo quanto a forma consistem num ato de tentativa de alcance:

οἶον τὸ γλυκύμαλον ἐρεύθεται ἄκρῳ ἐπ' ὕσδῳ,
ἄκρον ἐπ' ἀκροτάτῳ, λελάθοντο δὲ μαλοδρόπηες,
οὐ μὰν ἐκλελάθοντ', ἀλλ' οὐκ ἐδύναντ' ἐπίκεσθαι

As a sweet apple turns red on a high branch,
high on the highest branch and the applepickers
  forgot—

> *well, no they didn't forget—were not able to reach*
> *...*
>
> *Enquanto uma doce maçã amadurece rubra em galho alto,*
> *no alto do galho mais alto e os colhedores de maçã*
>   *esqueceram —*
> *bom, não, eles não esqueceram — não foram capazes de alcançar*
>   *...*
>
> (LP, FR. 105A)

O poema está incompleto, perfeitamente incompleto. Existe ali uma frase sem verbo principal ou núcleo do sujeito, porque nunca chega à oração principal. É um símile, cujo argumento permanece elusivo, uma vez que o *comparandum* nunca aparece. Pode ser parte de um epitalâmio, mas parece arriscado afirmar isso na ausência de uma festa de casamento. Se existe uma noiva, ela permanece inacessível. É a sua inacessibilidade que está presente. Como o objeto de comparação está suspenso no verso 1, ele exerce uma poderosa atração, tanto gramatical quanto erótica, sobre tudo o que aparece a seguir; mas a completude – gramatical ou erótica – não se realiza. Mãos desejantes agarram o ar vazio no infinitivo final, enquanto a "menina dos olhos", que é a própria maçã, balança suspensa, para sempre inviolada, dois versos acima.

A ação do poema acontece com verbos no presente do indicativo que atingem, com a última palavra, uma decepção infinita. Esse fracasso final é gentil, foi preparado repetidas vezes pelo que vem antes. Os três versos do poema seguem a mente da poeta em uma trajetória que parte da percepção até o julgamento, uma trajetória na qual tanto a percepção (da maçã) quanto o julgamento (do porquê ela está onde está) sofrem autocorreção. À medida que o olho da poeta se alonga para localizar a maçã ("no galho mais alto"), essa localização se torna mais exata ("no alto do galho mais alto") e mais remota. À medida que a interpretação da poeta se estica para explicar a maçã ("e os colhedores de maçã esqueceram"), a explicação é corrigida a largos passos ("bom, não, eles não esqueceram – não foram capazes de alcançar"). Cada verso lança uma impressão que é, ao mesmo tempo, modificada e, em seguida, lançada novamente. Os pensamentos que aparecem em segundo lugar surgem de mal-entendidos iniciais, e essa ação mental é refletida nos sons das palavras à medida que as sílabas anafóricas aparecem uma depois da outra, de verso a verso (*akrō... akron... akrotatō lela-tbonto... eklelathont'*). Esse movimento é corroborado no ritmo do verso: os dáctilos (nas linhas 1 e 2) desaceleram e se alongam para os espondeus (no verso 3) à medida que a maçã parece estar cada vez mais longe.

Cada verso, também é preciso observar, aplica medidas corretivas às suas próprias unidades de som. O primeiro verso contém dois exemplos de um procedimento métrico chamado "correção". A correção é uma licença permitida ao hexâmetro datílico na qual uma vogal longa ou ditongo é encurtada, mas que pode permanecer em hiato se aparecer antes de uma vogal seguinte. Aqui as duas correções ocorrem em sucessão próxima (*-tai akrō ep-*) e fazem o verso parecer povoado com sons que se movem e murmuram uns contra os outros, uma vez que a árvore é cheia de galhos, o nosso olho escala com firmeza até chegar ao ponto mais alto. As linhas 2 e 3 fazem uso de um dispositivo corretivo diferente: elisão. A elisão é uma abordagem mais brusca para o problema métrico do hiato; ela simplesmente expele a primeira vogal. A elisão ocorre uma vez no segundo verso (*ep' ak-*) e três vezes no terceiro verso (*-thont' all' ouk edunant' ep-*). Tanto a correção quanto a elisão podem ser consideradas táticas para impedir que uma unidade de som ultrapasse sua posição adequada dentro do ritmo. As táticas se diferenciam em permissividade, pois a primeira concede parcialmente o alcance, enquanto a segunda o restringe por completo. (Ou pode-se pensar na correção como uma espécie de decote métrico, que deixa o busto à mostra, em contraste com a elisão, que sequestra a vogal, tentadora demais, e a mantém escondida). Tem-se a sensação, à medida que o poema continua, de uma coerção imposta de forma gradual. A tentativa de alcance, empreendida pelo desejo, é repetida diversas vezes de diferentes modos e em diferentes versos; a cada linha fica mais evidente que o alcance não acontecerá. A tripla elisão do verso 3 chama atenção. Os versos 1 e 2 permitem que o olho da poeta suba até a maçã mais alta, uma subida que, em comparação, é bastante desinibida. O verso 3 amputa as mãos dos colhedores de maçã em pleno ar.

Existem cinco elisões no poema, das quais três agem sobre a preposição *epi*. Essa palavra merece toda nossa atenção porque é crucial para a etimologia e morfologia do poema. *Epi* é uma preposição que expressa movimento para, em direção a, até, em busca de, tentando alcançar algo. A ação dessa preposição ardente molda o poema em todos os níveis. Nos seus sons, efeitos rítmicos, processo de pensamento, conteúdo narrativo (e na circunstância externa, se esses versos forem de fato um epitálamo), esse poema representa a experiência de eros. É uma experiência composta, *gluku e pikron*: Safo começa com a doçura da maçã e termina em fome infinita. A partir do seu poema, pequeno e incipiente, aprendemos várias coisas sobre eros. O alcance do desejo se define na ação: belo (em seu objeto), frustrado (em sua tentativa), sem fim (no tempo).

Encontrando o limite

Eros tem a ver com fronteira. Ele existe porque certas fronteiras existem. É no intervalo entre se esticar para tentar alcançar e de fato agarrar algo, entre olhar de relance e receber o olhar de volta, entre um "eu te amo" e "eu também te amo", que a presença ausente do desejo ganha vida. Mas as fronteiras do tempo e do olhar e do "eu te amo" são apenas efeitos secundários da fronteira principal e inevitável que cria Eros: a fronteira da carne e do eu que existe entre você e eu. E é, de repente, apenas no momento em que eu ia dissolver a fronteira, que percebo que nunca vou conseguir fazer isso.

Bebês começam a enxergar percebendo os contornos das coisas. Como sabem que um contorno é um contorno? Porque desejam com paixão que um contorno não seja um contorno. A experiência do eros como falta, para a pessoa, é um alerta sobre os limites de si mesma, das outras pessoas, das coisas em geral. É o limite que separa minha língua do sabor pelo qual ela anseia, que me ensina o que é um limite. Assim como o adjetivo *glukupikron* de Safo, o momento do desejo é aquele que desafia o próprio limite, por se tratar de um composto de opostos forçados a estarem juntos sob pressão. Prazer e dor são inscritos na pessoa que ama ao mesmo tempo, na medida em que a desejabilidade do objeto de amor deriva, em parte, da sua falta. A quem falta o objeto de amor? A quem ama. Se acompanharmos a trajetória de eros, encontraremos consistentemente esse mesmo caminho: ele se move de quem ama em direção à pessoa amada, depois ricocheteia de volta a quem ama e ao buraco que existe em quem ama, que antes tinha passado despercebido. Quem é o verdadeiro sujeito da maioria dos poemas de amor? Não é a pessoa amada. É aquele buraco.

Quando eu desejo você, uma parte de mim vai embora: a falta que eu sinto de você faz parte de mim. Assim pensa quem ama quando está à beira de eros. A presença do querer desperta em quem ama a nostalgia da totalidade. Seus pensamentos se voltam para questões de identidade pessoal: é preciso recuperar e reincorporar o que está faltando se quiser ser uma pessoa completa. O *locus classicus* dessa visão sobre o desejo é o discurso de Aristófanes n'O *banquete* de Platão. Aqui Aristófanes explica a natureza do eros humano por meio de uma antropologia fantástica (189d-93d). Os seres humanos eram originalmente organismos redondos, cada um composto de duas pessoas colocadas juntas formando uma esfera perfeita. As esferas perfeitas saíam por aí rolando e eram extremamente felizes. Mas essas criaturas esféricas ficaram ambiciosas demais, queriam rolar para cima até o Olimpo, então Zeus cortou cada uma delas ao meio. Como resultado, agora todo mundo precisa passar a vida inteira buscando aquela outra única pessoa que pode trazer de novo a completude. "Cortado em dois como um daqueles peixes que são planos, o peixe-chato", diz Aristófanes, "cada um de nós está para sempre caçando a metade correspondente de si mesmo" (191d).

A maioria das pessoas acha que existe algo perturbadoramente lúcido e verdadeiro na imagem de Aristófanes de amantes como pessoas cortadas ao meio. Todo desejo arde por uma parte de si mesma que desapareceu, ou pelo menos é o que sente a pessoa apaixonada. O mito de Aristófanes justifica esse sentimento de maneira tipicamente grega, ou seja, culpando Zeus por tudo. Mas Aristófanes é um poeta cômico. Podemos procurar, se queremos uma exegese mais séria, amantes mais sérios. Uma característica do raciocínio sério dessas pessoas que amam nos impressiona de imediato. É chocante.

A lógica no limite

> "... com um ímpeto do coração, apenas a tocamos –
> e suspirando, deixamos ali os primeiros frutos do
> nosso espírito e regressamos ao som da nossa língua
> humana, na qual as palavras têm começos e fins."
>
> AGOSTINHO, *CONFISSÕES* 9.10

Quando eu te desejo, uma parte de mim se vai: sua falta é minha falta. Eu não sentiria a sua falta se você não fosse uma parte de mim, raciocina quem ama. "Um buraco está sendo roído em [meus] órgãos vitais", diz Safo (LP, fr. 96.16-17). "Você arrancou os pulmões do meu peito" (West, IEG 191) e "me pregou pelos ossos" (193), diz Arquíloco. "Você me usou e abusou" (Álcman 1.77 PMG), "me ralou" (Ar., *Eccl.* 956), "devorou minha carne" (Ar., *Ran.* 66), "sugou meu sangue" (Teócrito 2.55), "decepou meus genitais" (?Arquíloco, West, IEG 99.21), "roubou minha razão" (Teógnis 1271). Eros é expropriação. Ele rouba do corpo, leva membros, substância, integridade e deixa quem ama, essencialmente, com menos. Essa atitude em relação ao amor é fundamentada para os gregos na tradição mítica mais antiga: Hesíodo descreve em sua *Teogonia* como a castração deu à luz a deusa Afrodite, nascida da espuma que estava ao redor dos genitais decepados de Urano (189-200). O amor não acontece sem perda para o eu vital. O amante é um perdedor. Ou pelo menos isso é o que ele considera.

Mas essa consideração do amante envolve uma mudança rápida e astuta. Tentando alcançar um objeto que se mostra fora e além de si mesmo, o amante é provocado a perceber esse eu e seus limites. A partir de um novo ponto de vista, que poderíamos chamar de autoconsciência, o amante olha para trás e vê um buraco. De onde vem esse buraco? Vem do processo classificatório do amante. O desejo por um objeto *que ele nunca soube que lhe faltava* é definido – por meio de um deslocamento de distância – como desejo por uma parte necessária de si mesmo. Não é uma nova aquisição, mas algo que sempre foi, propriamente, *dele*. Duas faltas se tornam uma.

A lógica inconstante do amante é um desdobramento natural das suas artimanhas de desejo. Igual a Safo no fragmento 31, vimos como amantes reconhecem Eros como uma doçura feita de ausência e dor. Esse reconhecimento coloca em jogo várias táticas de triangulação, várias maneiras de manter o espaço do desejo aberto e elétrico. Pensar nas próprias táticas é sempre um negócio capcioso. A exegese mede três ângulos: o amante propriamente dito, a pessoa amada e o amante redefinido como incompleto sem a pessoa amada. Mas essa trigonometria é um truque. O próximo movimento do amante é colapsar o triângulo, reduzindo-o a uma figura de dois lados e tratando os dois lados como um círculo. "Ao me ver oco, me reconheço todo",[1] diz para si mesmo. O próprio processo de raciocínio do amante o mantém suspenso entre os dois termos do trocadilho.

Parece impossível falar ou raciocinar sobre a falta erótica sem cair nessa linguagem de trocadilhos. Considere, por exemplo, *Lísis* de Platão. Nesse diálogo, Sócrates está tentando definir a palavra grega *philos*, que significa tanto "amoroso" quanto "amado", "amigável" e "querido". Ele se pergunta se é possível o desejo de amar ou fazer amizade estar separado da falta que se sente desse algo ou alguém. Seus interlocutores são levados a reconhecer que todo de-

---

[1] O trocadilho usado por Carson em inglês é *hole* [buraco] x *whole* [inteiro]. (N.T.)

sejo é anseio por aquilo que *pertence propriamente a quem deseja*, mas foi perdido ou levado embora de alguma forma – ninguém diz como (221e-222a). Trocadilhos piscam rápido à medida que o raciocínio acelera. Essa parte da discussão depende de um uso hábil da palavra grega *oikeios*, que significa tanto "adequado, aparentado, semelhante a mim" quanto "pertencente a mim, propriamente *meu*". Então Sócrates diz a dois rapazes que são seus interlocutores:

> ... Τοῦ οἰκείου δή, ὡς ἔοικεν, ὅ τε ἔρως καὶ ἡ φιλία καὶ ἡ ἐπιθυμία τυγχάνει οὖσα, ὡς φαίνεται, ὦ Μενέξενέ τε καὶ Λύσι.—Συνεφάτην.—Ὑμεῖς ἄρα εἰ φίλοι ἐστὸν ἀλλήλοις, φύσει πῃ οἰκεῖοί ἐσθ' ὑμῖν αὐτοῖς.

> ... *Desire and love and longing are directed at that which is akin to oneself* [tou oikeiou], *it seems. So if you two are loving friends* [philoi] *of one another then in some natural way you belong to one another* [oikeioi esth'].

> ... Desejo e amor e anseio são direcionados ao que é semelhante a alguém [*tou oikeiou*], ao que parece igual. Então, se vocês dois são amigos queridos [*philoi*] um do outro, então de alguma maneira natural vocês pertencem um ao outro [*oikeioi esth'*].

(221e)

É profundamente injusto Sócrates escorregar de um significado de *oikeios* para outro, como se fosse a mesma coisa reconhecer em outra pessoa uma alma amiga e reivindicar essa alma como sua propriedade, como se fosse perfeitamente aceitável no amor borrar a distinção entre você e a pessoa amada. Todo raciocínio e toda esperança de felicidade que quem ama tem são construídos sobre essa injustiça, essa reivindicação, essa distinção borrada.

Por isso, seu processo de raciocínio está sempre se movendo e buscando, na fronteira da linguagem, os lugares em que os trocadilhos acontecem. O que o amante está procurando na fronteira?

O trocadilho é uma figura de linguagem que depende da semelhança de som e disparidade de significado. São combinados dois sons que se juntam perfeitamente como formas auditivas, mas que se mantêm, insistente e provocativamente, separados no sentido. Você percebe a homofonia e ao mesmo tempo enxerga o espaço semântico que separa as duas palavras. A semelhança é projetada na diferença numa espécie de estereoscopia. Existe algo de irresistível nisso tudo. Os trocadilhos aparecem em todas as literaturas e, aparentemente, são tão antigos quanto a própria linguagem e nunca deixam de nos fascinar. Por quê? Se soubéssemos a resposta dessa pergunta, saberíamos o que quem ama procura enquanto se move e raciocina nas fronteiras do seu desejo.

Ainda não temos uma resposta. Entretanto, precisamos prestar atenção no trocadilho como algo que caracteriza a lógica de quem ama: a estrutura e a irresistibilidade do trocadilho têm algo importante a nos dizer sobre o desejo e sobre a busca do amante. Vimos como Sócrates usa o trocadilho para passar de um sentido de *oikeios* [parentesco] para outro ["meu"] quando está discutindo eros como falta em *Lísis*. Aqui, Sócrates não tenta esconder o jogo de palavras; pelo contrário, dá destaque ao jogo fazendo um uso incomum da gramática. Ele mistura de propósito pronomes recíprocos e reflexivos quando se dirige aos dois *philoi*, Lísis e Menexenus. Ou seja, quando Sócrates diz a eles "... vocês pertencem um ao outro" (221e6), usa uma palavra para "um ao outro" que mais comumente significa "vocês mesmos" (*hautois*). Sócrates está brincando, por meio de palavras, com os desejos dos jovens amantes que estão ali diante dele. A mistura entre o eu e o outro acontece com muito mais facilidade na linguagem do que na vida, mas de certa forma envolve o mesmo desaforo. Assim como eros, os trocadilhos debocham dos limites das coisas. Seu poder de seduzir e alarmar surge disso. Dentro de um trocadilho, é possível apreender uma verdade *melhor*, um significado mais *verdadeiro*, quando comparado ao sentido de cada palavra separada. Mas o vislumbre desse significado melhorado, que se mostra rápido em um trocadilho, é uma coisa dolorosa. Pois é um vislumbre inseparável da convicção que temos de sua impossibilidade. As palavras têm limites. Você tem limite.

A lógica de trocadilho do amante é uma parte importante da cogitação. Os trocadilhos do amante mostram os contornos do que ele aprende, num flash, com a experiência de eros — uma lição vívida sobre seu próprio ser. Quando ele inala Eros, surge dentro dele uma visão repentina de um eu diferente, talvez um eu melhor, composto pelo seu próprio ser junto do ser da pessoa amada. Trazido à vida por meio de um acidente erótico, esse alargamento do eu é uma ocorrência complexa e enervante. É fácil demais esse alargamento tornar-se ridículo, como vimos acontecer, por exemplo, quando Aristófanes, com o mito das pessoas redondas, dá uma conclusão lógica e circular à fantasia típica do amante. Mas, ao mesmo tempo, uma sensação de verdade séria acompanha a visão que o amante tem de si mesmo. Existe algo bastante convincente nas percepções que ocorrem a você quando você está apaixonada. Elas parecem mais verdadeiras do que outras percepções, e mais verdadeiramente *suas*, apreendidas da realidade a um custo pessoal. A maior certeza é sentir a pessoa amada como um complemento necessário a você. Os poderes da sua imaginação são coniventes com essa visão de complemento, evocando possibilidades além do real. De repente, um eu que você nunca tinha conhecido antes, que agora lhe parece o verdadeiro, entra em foco. Pode ser que uma rajada de coisas que parecem divinas passe por você e, por um instante, muitas coisas pareçam cognoscíveis, possíveis e presentes. Então o limite se reafirma. Você não é um deus. Você não é esse eu alargado. Na verdade, você não é nem um eu inteiro, como você agora pode ver. Seu novo entendimento sobre as possibilidades é também um entendimento do que está faltando no aqui agora.

Podemos observar, para fins de comparação, como essa percepção toma forma na mente de um amante moderno. Em seu romance *As ondas*, Virginia Woolf descreve um jovem chamado Neville observando seu amado Bernard se aproximar dele, vindo do outro lado do jardim:

> Alguma coisa agora me abandona; alguma coisa sai de mim para ir ao encontro daquela figura que se aproxima e me assegura de que o conheço antes que eu veja quem é. Quão curiosamente somos transformados pelo acréscimo, até mesmo à distância, de um amigo. Quão útil é o serviço que nossos amigos nos prestam quando se lembram de nós. Contudo, quão doloroso é sermos lembrados, sermos mitigados, termos nosso eu adulterado, misturado, tornado parte de um outro. À medida que ele se aproxima, torno-me não eu mesmo, mas Neville misturado com alguém – com quem? – com Bernard? Sim, é Bernard, e é a Bernard que farei a pergunta: Quem sou eu?[2]

Neville fica menos alarmado com o buraco que existe nele do que os poetas líricos gregos quando registram as depredações de eros. E, ao contrário de Sócrates, Neville não recorre a trocadilhos

---

2 V. Woolf, *The Waves*, 1931. [Ed. bras.: *As ondas*. Trad. Tomaz Tadeu. Belo Horizonte: Autêntica, 2021, p. 64-65.] (N.T.)

para explicar sua condição misturada. Ele simplesmente observa o acontecimento e mede os três ângulos: o desejo sai do próprio Neville, ricocheteia em Bernard e se vira de volta para Neville — mas Neville não é o mesmo. "Torno-me não eu mesmo, mas Neville misturado com alguém" O pedaço dele mesmo que vai para Bernard torna Bernard imediatamente familiar "antes que eu veja quem é". Como diria Sócrates, isso torna Bernard *oikeios*. Mesmo assim, Neville avalia a experiência como ambivalente, tanto "útil" quanto "dolorosa". Como nos poetas gregos, a dor da experiência surge naquele limite no qual o eu é adulterado e o amargo beira o doce de maneira assustadora. A ambivalência de Eros é um desdobramento direto desse poder de "misturar" o eu. O amante admite, desamparado, que é bom e ao mesmo tempo ruim ser misturado, e é então levado de volta à pergunta: "Agora que eu fui misturado dessa maneira, quem sou eu?" O desejo *muda* o amante. "Quão curiosamente": ele sente a mudança acontecer, mas não tem critérios predefinidos para avaliá-la. A mudança lhe oferece um vislumbre de um eu que ele nunca tinha conhecido antes.

Esse tipo de vislumbre pode ser o mecanismo que originalmente molda uma noção de "eu" em cada um de nós, de acordo com algumas análises. A teoria freudiana atribui essa noção de "eu" a uma decisão fundamental de amor e ódio, um pouco como a condição ambivalente de quem ama, condição que divide nossas almas e forma nossa personalidade. No início da vida, na visão freudiana, não existe consciência dos objetos como distintos do próprio corpo. A distinção entre o eu e o não eu é feita por meio da decisão de reivindicar tudo o que o ego gosta como "meu" e rejeitar tudo o que o ego não gosta como "não meu". Divididas, aprendemos onde o nosso eu termina e o mundo começa. Autodidatas, nós amamos o que podemos transformar em nosso e odiamos o que continua a ser do outro.

Historiadores da psique grega, em especial Bruno Snell, adaptaram o quadro ontogenético de Freud para explicar o surgimento do individualismo na sociedade grega durante o período arcaico e o início do clássico. Na visão de Snell, a primeira formação na sociedade grega de uma personalidade humana autoconsciente e autocontrolada, consciente de si mesma como um todo orgânico distinto de outras personalidades e do mundo ao seu redor, pode ser atribuída a um momento de ambivalência que divide a alma. O adjetivo *glukupikron* de Safo sinaliza esse momento. É uma revolução na autoconsciência humana que Snell chama de "a descoberta da mente". O eros bloqueado é o gatilho dessa revolução. A consequência é a consolidação de um "eu":

> O amor que é barrado e não alcança a plenitude adquire um domínio particularmente forte sobre o coração humano. As faíscas de um desejo vital explodem em chamas no exato momento em que o caminho do desejo é bloqueado. É a obstrução que torna conscientes todos os sentimentos pessoais... [o amante frustrado] busca a causa dessa obstrução em sua própria personalidade. (1953, 53)

A tese de Snell é sensacional, provocou excitação, ampla dissidência e uma controvérsia que não acaba. Não temos resolução das questões de história e historiografia envolvidas no assunto, mas a visão de Snell sobre a importância do amor doce-amargo em nossas vidas é poderosa, apela para a experiência comum de muitas pessoas apaixonadas. Neville, por exemplo, parece chegar à mesma conclusão ao refletir sobre seu amor por Bernard em *As ondas*: "Ser restringido por outra pessoa a um único ser – quão estranho".

Perdendo o limite

O eu se forma no limite do desejo, e uma ciência do eu surge do esforço de deixar esse eu para trás. É possível, no entanto, mais do que uma resposta a essa intensa consciência do eu que decorre do alcance do desejo. Neville a concebe como uma "restrição" do eu sobre si mesmo e considera isso apenas estranho. "Quão curiosamente somos transformados", medita. Parece que ele nem odeia a mudança nem a aprecia. Nietzsche, por outro lado, fica encantado: "Quando se ama, sempre se mente bem diante de si e sobre si: parece-se transfigurado para si mesmo, mais forte, mais rico, mais perfeito e, de fato, é-se mais perfeito... [...] E não se trata apenas de que desloque o sentimento dos valores... o amante é mais valioso, é mais forte".[1] No amor, não é incomum experimentar esse senso elevado da própria personalidade ("Sou mais eu mesmo agora!", sente quem ama) e se alegrar com isso, como faz Nietzsche. Os poetas líricos gregos não se alegram tanto.

Para esses poetas, a mudança do eu é a perda do eu. Suas metáforas para a experiência são metáforas de guerra, doença e

---

[1] F. Nietzsche, *The Will to Power*, 1967, p. 426. [Ed. bras.: *Vontade de poder*. Tradução do alemão de Marcos Sinésio Pereira Fernandes e Francisco José Dias de Moraes. Rio de Janeiro: Contraponto, 2008, pp. 403-04.] (N.A.)

dissolução corporal. Essas metáforas assumem uma dinâmica de ataque e resistência. Uma tensão sensual extrema entre o eu e seu ambiente é o foco dos poetas, e o que predomina é uma imagem particular dessa tensão. Na poesia lírica grega, eros é uma experiência de derretimento. O próprio deus do desejo é tradicionalmente chamado de "derretedor de membros" (Safo, LP, fr. 130; Arquíloco, West, IEG 196). Seu olhar "derrete mais do que o sono ou a morte" (Álcman 3 PMG). O amante, sua vítima, é um pedaço de cera (Píndaro, *Snell-Maehler*, fr. 123) que se dissolve ao toque do deus. Derreter é bom? A resposta permanece ambivalente. A imagem implica algo delicioso e sensual, mas a ansiedade e a confusão muitas vezes acompanham o derretimento. A viscosidade é uma experiência que, por si só, já repele, na visão de Jean-Paul Sartre. Suas observações sobre o fenômeno da pegajosidade podem revelar algo sobre a atitude dos antigos em relação ao amor:

> Uma criança que mergulha as mãos dentro de um pote de mel é imediatamente envolvida pela contemplação das propriedades formais dos sólidos e líquidos e da relação essencial entre o eu experiencial subjetivo e o mundo experienciado. O viscoso é um estado a meio de caminho, entre sólido e líquido. É como um corte transversal dentro de um processo de alteração. É instável, mas não flui. É macio, flexível e compressível. Sua viscosidade é uma armadilha, gruda feito sanguessuga; ataca a fronteira entre o eu e a própria viscosidade. Longas colunas escorrendo dos dedos sugerem minha própria substância fluindo na poça da viscosidade. Mergulhar na água dá uma impressão diferente; eu continuo sólido. Mas quando toco a viscosidade arrisco a me diluir no que é viscoso. A viscosidade se apega, feito um cão ou um amante muito possessivo (1956, 606-607).

A consternação aguda ("gruda feito sanguessuga") e quase irracional de Sartre ("a viscosidade é uma armadilha") a respeito da diluição do eu é análoga à resposta dos poetas antigos ao eros. No entanto, Sartre acredita que é possível aprender algo importante com a viscosidade – como se pode aprender com um amante persistente – sobre as propriedades da matéria e a inter-relação entre o eu e as outras coisas. Ao experienciar e articular a ameaça que é o derretimento de eros, os poetas gregos presumivelmente também estão aprendendo alguma coisa sobre seus próprios eus limitados, através do esforço que fazem para resistir à dissolução desses limites dentro da emoção erótica. A fisiologia da experiência erótica que eles postulam é aquela que assume eros como hostil em intenção e prejudicial em efeito. Junto da metáfora do derretimento, podemos citar outras que envolvem perfurar, esmagar, colocar rédeas, assar, picar, morder, ralar, decepar, envenenar, chamuscar e moer até virar pó, todas usadas pelos poetas para se referir a eros, o que causa uma impressão cumulativa de intensa preocupação com a integridade e o controle do próprio corpo. Quem ama aprende, à medida que a perde, a valorizar essa entidade limitada que é o eu.

Uma crise de contato, como o encontro da criança com o mel no exemplo de Sartre, evoca essa experiência de aprendizagem. Em nenhum outro momento dentro da tradição ocidental essa crise é registrada com tanta vivacidade como nos versos líricos gregos, e historiadores literários como Bruno Snell reivindicam a primazia da era arcaica com base nessa evidência. Infelizmente, ao fazer essa afirmação, Snell negligencia um aspecto da experiência antiga que atravessa seus registros e que poderia ter fornecido um testemunho convincente para sua tese, a saber, o fenômeno da alfabetização. Ler e escrever mudam pessoas e mudam sociedades. Nem sempre é fácil enxergar como ou traçar o mapa sutil de causa e efeito que liga tais mudanças ao seu contexto. Mas devemos fazer um esforço para que isso aconteça. Existe aqui uma pergunta importante e que permanece sem resposta. Será coincidência que os poetas que inventaram Eros, fazendo dele uma divindade e uma obsessão literária, foram também os primeiros autores da nossa tradição a nos deixar poemas em forma escrita? Para colocar a questão de maneira mais pungente: o que há de erótico na alfabetização? Essa pode parecer uma pergunta menos irrespondível do que boba, a princípio, mas vamos olhar mais de perto para os eus das primeiras pessoas escritoras. O eu é crucial para quem escreve.

Independente de ser justo ou não atribuir aos poetas arcaicos uma "descoberta da mente" como descreve Snell, restam evidências inegáveis, nos fragmentos preservados dos versos, de uma sensibilidade agudamente afinada com a vulnerabilidade do corpo físico e das emoções ou espírito dentro dele. Não se dá voz a tal sensibilidade na poesia anterior a esse período. Talvez isso tenha acontecido por causa de um acidente de tecnologia. A poesia lírica e a sensibilidade típica dessa poesia, para nós, começam com Arquíloco porque seus poemas foram escritos, não sabemos como ou por que, em algum momento do século VII ou VI a.C. Talvez, antes dele, existissem muitos Arquílocos compondo líricas orais sobre as depredações de Eros. No entanto, o fato de Arquíloco e seus sucessores líricos derivarem de uma tradição escrita marca em si uma diferença decisiva entre eles e tudo o que veio antes, não apenas porque essa tradição nos dá acesso a seus textos, mas também porque nos indica certas condições de vida e de mente radicalmente novas dentro das quais eles estavam operando. As culturas orais e as culturas letradas não pensam, percebem ou se apaixonam da mesma maneira.

Em geral, a era arcaica foi uma época de mudança, inquietação e reordenamento. Na política, com o surgimento da *polis*, na economia, com a invenção da moeda, na poética, com o estudo dos poetas líricos de momentos específicos da vida pessoal e, na tecnologia das comunicações, com a introdução do alfabeto fenício na Grécia; esse período pode ser visto como um período de contração e foco: contração de grandes estruturas em unidades menores, foco na definição dessas unidades. O fenômeno da alfabetização e o início da disseminação da alfabetização por toda a sociedade grega foi talvez a mais dramática das inovações com as quais os gregos dos séculos VII e VI tiveram de lidar. O alfabeto deve ter chegado ao mar Egeu pela rota de comércio na segunda metade do século VIII, data dos primeiros exemplos gregos encontrados até hoje. A disseminação do alfabeto foi lenta e as consequências ainda estão sendo analisadas por estudiosos.[2] Que diferença faz a alfabetização?

---

2 Eric A. Havelock abriu esse caminho em 1963 com *Preface to Plato* [Prefácio a Platão], e continuou a investigar o assunto desde então; uma bibliografia foi reunida em sua recente coleção, *The Literate Revolution in Greece and Its Cultural Consequences* (1982). Ver também E. A. Havelock & J. P. Hershbell (orgs.). *Communication Arts in the Ancient World*. Nova York, 1978, pp. 23-36; S. G. Cole. "Could Greek Women Read and Write?". Women's Studies, vol. 8, 1981, pp. 129-55; J. A. Davison. "Literature and Literacy in Ancient Greece". Phoenix, vol. 16, 1962, pp. 141-233; R. Finnegan. Oral Poetry: Its Nature, Significance, and Social Context. Cambridge, 1977; J. Goody. Literacy in Traditional Societies. Cambridge, 1968; J. Goody (org.). T*he Domestication of the Savage Mind*. Cambridge, 1977; H. J. Graff. *Literacy in History: An Interdisciplinary Research Bibliography*. Nova York, 1981; D. Harvey. "Greeks and Romans Learn to Write" in E. A. Havelock & J. P. Hershbell (orgs.). *Communication Arts in the Ancient World*. Nova York, 1978, pp. 63-80., 1978; H. A. Innis. *The Bias of Communication*. Toronto, 1951; A. Johnston. "The Extent and Use of Literacy: The Archaeological Evidence" in R. Hägg (org.). *The Greek Renaissance of the Eighth Century B.C.: Tradition and Innovation*. Estocolmo, 1983, pp. 63-68; B.M.W. Knox. "Silent Reading in Antiquity". *Greek, Roman, and Byzantine Studies*, vol. 9, 1968, pp. 421-35; S. B. Pomeroy. "Technikai kai Mousikai". *American Journal of Ancient History*, vol. 2, 1977, pp. 15-28; B. A. Stolz & R. S. Shannon III (orgs.). *Oral Literature and the Formula*. Ann Arbor, 1976; J. Svenbro. *La Parole et le marbre: Aux origines*

A resposta mais óbvia é que a introdução da escrita revoluciona as técnicas de composição literária. Denys Page resume os detalhes práticos dessa mudança do seguinte modo:

> A principal característica do método pré-alfabético de composição poética é a dependência de um estoque tradicional de fórmulas memorizadas que, embora flexíveis e receptivas a acréscimos e modificações, ditam, em grande medida, não apenas a forma, mas também a matéria da poesia. O uso da escrita permitiu ao poeta fazer da palavra, e não da frase, a unidade de composição; ajudou-o a expressar ideias e descrever eventos fora do âmbito tradicional; deu-lhe tempo para preparar seu trabalho antes da publicação, para premeditar com mais facilidade e diversão o que deveria escrever e alterar o que havia escrito.[3]

Ao mesmo tempo, uma revolução mais privada é desencadeada pelo fenômeno da alfabetização. À medida que o mundo áudio-tátil da cultura oral se transforma em um mundo de palavras no papel, em que a visão é o principal veículo de informação, uma reorientação das habilidades perceptivas começa a acontecer no âmbito individual.

Uma pessoa que vive em uma cultura oral usa seus sentidos de forma diferente de uma que vive em uma cultura letrada, e com esse desdobramento sensual diferente vem uma maneira também diferente de conceber suas próprias relações com o ambiente, uma concepção diferente do seu próprio corpo e

---

de la poétique grecque. Lund, 1976; E. G. Turner. *Athenian Books in the Fifth and Fourth Centuries B.C.* Londres, 1952. (N.A.)

3 Fondation Hardt, Entretiens sur l'antiquité classique, vol. 10: Archiloque, Genebra, 1963, p. 119. (N.A.)

do seu eu. A diferença gira em torno do fenômeno fisiológico e psicológico do autocontrole individual. O autocontrole é pouquíssimo enfatizado em um meio oral onde a maioria dos dados importantes para sobrevivência e compreensão são canalizados no indivíduo pelos canais abertos dos seus sentidos, em particular seu sentido de som, em uma contínua interação que o liga ao mundo exterior. A completa abertura em relação ao ambiente é uma condição de consciência e alerta ideal para tal pessoa, e um intercâmbio contínuo e fluente de impressões e reações sensuais entre o ambiente e essa pessoa é a condição apropriada para sua vida física e mental. Fechar os próprios sentidos para o mundo exterior seria contraproducente para a vida e para o pensamento.

Quando as pessoas começam a aprender a ler e escrever, um cenário diferente se desenvolve. Ler e escrever requer foco, por meio do sentido visual, e atenção mental em um texto. À medida que um indivíduo lê e escreve, gradualmente aprende a fechar ou inibir a entrada de outras informações pelos sentidos, a inibir ou controlar as reações do seu corpo, de modo a treinar a energia e o pensamento para as palavras escritas. Para resistir ao ambiente externo, ele distingue e controla o ambiente interno. Isso constitui, a princípio, um esforço trabalhoso e doloroso para o indivíduo, nos mostram a psicologia e a sociologia. Ao fazer esse esforço, ele se torna consciente do eu interior como uma entidade separável do ambiente e de suas informações, entidade controlável pela própria ação mental. O reconhecimento de que essa ação controladora é possível, e talvez necessária, marca um estágio importante no desenvolvimento tanto ontogenético quanto filogenético, um estágio no qual a personalidade individual conserva a si mesma para resistir à desintegração.

Se a presença ou a ausência de alfabetização afeta a maneira como uma pessoa percebe seu corpo, seus sentidos e seu próprio eu, esse efeito influenciará significativamente a vida erótica. É na poesia daqueles que foram primeiro expostos a um alfabeto escrito e às demandas da alfabetização que encontramos uma meditação propositada sobre o eu, especialmente no contexto do desejo erótico. A peculiar intensidade com que esses poetas insistem em conceber eros como falta pode ser um efeito, em algum grau, dessa exposição. O treinamento que acontece na alfabetização aumenta tanto a consciência dos limites físicos pessoais quanto uma compreensão desses limites como o receptáculo de si mesmo. Controlar os limites é possuir a si mesmo. Para indivíduos a quem o autocontrole se tornou importante, o influxo de uma emoção forte e repentina vinda de fora não é um evento que passa despercebido, como poderia acontecer em um ambiente oral, onde tais incursões são condutores comuns da maioria das informações importantes que uma pessoa recebe. Quando um indivíduo reconhece que é o único responsável pelo conteúdo e coerência da sua própria pessoa, um influxo como eros torna-se uma ameaça pessoal concreta. Assim, nos poetas líricos, o amor é algo que ataca ou invade o corpo de quem ama para lhe arrancar o controle, é uma luta pessoal, entre o deus e sua vítima, que envolve vontade e força física. Os poetas registram essa luta do interior de uma consciência que talvez seja nova no mundo – do corpo como uma unidade de membros, sentidos e eu, espantado com sua própria vulnerabilidade.

Arquíloco no limite

Arquíloco é o primeiro poeta lírico cuja transmissão da poesia se beneficiou da revolução letrada. Embora as evidências cronológicas tanto do poeta quanto do alfabeto sejam incertas, é mais plausível que, educado na tradição oral, ele tenha entrado em contato com a nova tecnologia da escrita em algum momento da sua carreira e se adaptado a ela. De qualquer maneira, alguém, talvez o próprio Arquíloco, escreveu esses primeiros fatos de como é ser violado por Eros:

τοῖος γὰρ φιλότητος ἔρως ὑπὸ καρδίην ἐλυσθεὶς
   πολλὴν κατ' ἀχλὺν ὀμμάτων ἔχευεν,
κλέψας ἐκ στηθέων ἀπαλὰς φρένας.

Such a longing for love, rolling itself up under
   my heart,
poured down much mist over my eyes,
filching out of my chest the soft lungs—

Tal desejo por amor, embolado sob
   meu coração,
derramou névoa demais nos meus olhos,
furtando do meu peito os pulmões sedosos—

(WEST, IEG 191)

A primeira palavra do poema dá início a uma correlação. A palavra *toios* é um pronome demonstrativo que significa "tal", que corresponde adequadamente ao pronome relativo *hoios*, que significa "como". Assim, uma frase que começa com *toios* espera uma cláusula de resposta com *hoios* para completar o pensamento. O poema expõe metade desse pensamento, depois é interrompido. No entanto, tem uma economia perfeita, pelo menos até o final do fragmento. Cada palavra, som e ênfase são escolhidos com um propósito. O primeiro verso descreve eros enovelado debaixo do coração do amante. As palavras são ordenadas para refletir a fisiologia do momento, com *erōs* bem no centro, enrolado sobre si mesmo. Uma sequência de sons redondos em *o* (um longo e cinco curtos) e encontros consonantais (quatro pares) acumulam a tensão do desejo do amante, formando uma pressão audível dentro dele. As consoantes parecem ter sido escolhidas por sua qualidade insinuante (líquidas, sibilantes e oclusivas surdas). O padrão métrico é uma mistura original de unidades datílicas e iâmbicas, combinadas de uma maneira que imita a ação do desejo: o verso é lançado em uma explosão épica de dátilos e espondeus, enquanto eros afirma sua presença, depois se dissolve em um respingo de jambos justamente no ponto em que o desejo atinge o coração do amante (*kardiēn*). A última palavra do verso é um particípio (*elustheis*) que tem um passado épico. "Embolado sob a barriga de um carneiro" é como Ulisses escapa da caverna do Ciclope (*Od.* 9.433). "Embolado aos pés de Aquiles" é a posição de Príamo quando suplica pelo corpo do filho (*Il.* 24.510). Nesses dois contextos épicos, uma postura de vulnerabilidade abjeta é assumida por uma pessoa genuinamente poderosa, que então tenta defender sua vontade diante do inimigo que a confronta. O poder oculto também é uma característica tradicional de Eros, na poesia e na arte, como o inócuo *pais* cujas flechas se revelam mortais. Arquíloco estabelece silenciosamente um sobretom de ameaça ao posicionar o particípio no final do verso, assim como acontece nas duas passagens homéricas.

O verso 2 envolve os olhos do amante em uma névoa que vem de ambos os lados. As consoantes do poeta suavizam e engrossam, acompanhando a neblina, com os sons *l*, *m*, *n* e *chi*. Esses sons são duplicados e combinados conforme um padrão repetido que desce quatro vezes no final da palavra em *n*, como se enfatizasse a descida do nevoeiro em quatro faixas líquidas (*-lēn, -lun, -tōn, -en*). A neblina funde-se ao redor dos olhos do amante pelo ritmo iâmbico do verso, especialmente no segundo metro (*-lun ommatōn*) no qual uma cesura é jogada entre os olhos e a névoa. As conotações épicas de perigo são sentidas novamente nessa imagética, pois, em Homero, a névoa escurece os olhos de um homem no momento da morte (cf. *Il.* 20.321; 421).

Com o verso 3, Eros completa a violação. Um roubo rápido assobia os pulmões para fora do peito do amante. Naturalmente, isso acaba com o poema: sem o órgão da respiração, a fala é impossível. O roubo é encenado em uma sequência de sons em *s* (cinco) e o verso é interrompido sem completar o esquema métrico (o tetrâmetro datílico deveria ser seguido por um metro iâmbico, como no verso 1). Provavelmente, a ruptura é uma falha de transmissão e não resulta da intenção do poeta. Obviamente, a mesma explicação, a saber, a condição fragmentária do texto de Arquíloco, seria responsável pela expectativa sintática não cumprida, estabelecida pelo pronome correlativo com o qual o poema começa (*toios*). Por outro lado, é um poema bastante cuidadoso, pelo menos até o final do fragmento.

Os *phrenes* do amante aparecem até o final do fragmento. Traduzi essa palavra "pulmões" e me referi a ela como "o órgão da respiração". O que é respiração? Para os gregos antigos, respiração é consciência, respiração é percepção, respiração é emoção. Na antiga teoria fisiológica, parece que os *phrenes* são grosseiramente identificados com os pulmões e contêm o espírito da respiração à medida que vai e vem (Onians 951, 66 ss.). O peito é considerado pelos gregos como um receptáculo de impressões sensoriais e um veículo para todos os cinco sentidos; até mesmo para visão, pois, ao ver, algo do objeto visto pode ser respirado e recebido pelos olhos de quem vê (ver Hesíodo, *Scutum* 7; cf. Arist., *Sens.* 4.437b23ss). Palavras, pensamentos e entendimento são recebidos e produzidos pelos *phrenes*. Assim, em Homero, as palavras são "aladas" quando saem de quem fala e "sem asas" quando permanecem não ditas nos *phrenes* (cf. *Od*. 17.57). *Phrenes* são órgãos da mente. Como diz Teógnis:

Ὀφθαλμοὶ καὶ γλῶσσα καὶ οὔατα καὶ νόος ἀνδρῶν
ἐν μέσσῳ στηθέων ἐν συνετοῖς φύεται.

The eyes and tongue and ears and intelligence of a
quick-witted man
grow in the middle of his chest.

Os olhos e língua e ouvidos e inteligência de um
homem sagaz
crescem no meio do seu peito.

(1163-64)

Tal concepção é natural entre as pessoas em um ambiente oral (ver Onians, 1951, 68). A respiração é tão primária quanto a palavra falada. Essa concepção tem uma base psicológica e sensual sólida na experiência cotidiana dessas pessoas. Pois quem vive em uma sociedade oral se mistura muito mais intimamente ao ambiente do que nós. O espaço e as distâncias entre as coisas não são prioritários; esses são aspectos enfatizados pelo sentido visual. O que é vital, em um mundo de som, é manter a continuidade. Essa atitude permeia a poesia arcaica e está bastante presente também nas teorias perceptivas dos antigos *physiologoi*. A célebre doutrina das emanações de Empédocles, por exemplo, sustenta que tudo no universo está perpetuamente inalando e exalando, em um fluxo constante, pequenas partículas chamadas *aporrhoai* (Diels, vs, B89). Todas as sensações são causadas por essas emanações à medida que são inaladas e exaladas por toda a superfície da pele dos seres vivos (B 100.1). As *aporrhoai* são mediadoras da percepção, permitem que tudo no universo esteja potencialmente "em contato" com tudo o mais que existe (cf. Arist., *Sens*. 4.442a29). Empédocles e seus contemporâneos postulam um universo onde os espaços entre as coisas são ignorados e as interações são constantes. A respiração está em todo lugar. Não existem limites.

A respiração do desejo é Eros. Inescapável como o próprio ambiente, com suas asas Eros move o amor para dentro e para fora de todas as criaturas a seu bel-prazer. A vulnerabilidade total do indivíduo à influência erótica é simbolizada pelas asas e o poder multissensual que elas têm de permear e assumir, a qualquer momento, o controle de qualquer pessoa apaixonada. As asas e a respiração transportam Eros como transportam palavras: uma antiga analogia entre linguagem e amor aparece aqui. O mesmo encanto sensual irresistível, chamado *peithō* em grego, é também o mecanismo de sedução no amor e de persuasão nas palavras; a mesma deusa (Peitho) atende a quem seduz e a quem escreve poesia. É uma analogia que faz todo o sentido no contexto da poética oral, na qual Eros e as Musas evidentemente compartilham um mesmo aparato de ataque sensual. Uma pessoa ouvindo uma declamação oral é, como Herman Fränkel observa, "um campo de força aberto",[1] os sons estão sendo soprados para dentro desse campo de força em um fluxo contínuo partindo da boca do poeta. As palavras escritas, por outro lado, não permitem um fenômeno sensual tão persuasivo. A alfabetização dessensorializa as palavras e a pessoa leitora. Um leitor precisa se desconectar da afluência de impressões sensoriais transmitidas pelo nariz, ouvido, língua e pele se quiser se concentrar na leitura. Um texto escrito separa as palavras umas das outras, separa as palavras do ambiente, separa as palavras do leitor (ou escritor) e separa o leitor (ou escritor) do ambiente. A separação é uma coisa dolorosa. Evidências da epigrafia mostram quanto tempo leva para as pessoas sistematizarem a divisão de palavras por escrito, indicando o que existe de novidade e de dificuldade nesse conceito.[2] Como unidades de sentido separáveis e controláveis, cada qual com limites visíveis, cada qual com um uso fixo e independente, as palavras escritas projetam o usuário para o isolamento.

A percepção dos limites das palavras é mais vívida, então, para quem as lê ou escreve. Pode ser que as palavras ouvidas não tenham limites ou que tenham limites variados; pode ser que as tradições orais não tenham um conceito de "palavra" como um vocábulo fixo e limitado, ou pode ser que empreguem um conceito flexível. A palavra de Homero para "palavra" (*epos*) inclui os sentidos "discurso", "conto", "canção", "linha de verso" ou "poesia

---

[1] H. Fränkel, *Early Greek Poetry and Philosophy*, Trad. M. Hadas e J. Willis, 1973, p. 524. (N.A.)

[2] Sobre divisão de palavras e problemas relacionados, ver L. H. Jeffrey, *The Local Scripts of Archaic Greece*, Oxford, 1961, pp. 43-65; H. Jensen, *Die Schrift in Vergangenheit und Gegenwart*, 1969, pp. 440-60; F. G. Kenyon. *The Palaeography of Greek Papyri*, 1899, pp. 26-32. (N.A.)

épica como um todo". Todos esses sentidos são respiráveis. Os limites são irrelevantes.

Mas, para Arquíloco, o limite tem uma relevância evidente. Suas palavras são interrompidas durante a respiração. "Um poeta como Arquíloco", diz o historiador Werner Jaeger, "aprendeu a expressar na própria personalidade todo o mundo objetivo e suas leis, para representá-las em si mesmo".[3] Pela descrição, ao que parece, Arquíloco compreende a lei que diferencia o eu do não eu, pois Eros corta o poeta exatamente no ponto em que se encontra essa diferença. Entender o desejo, entender as palavras, é para Arquíloco uma questão de perceber o limite entre uma entidade e outra. Está na moda dizer que essa é a verdade de qualquer enunciado. "Na linguagem existem apenas diferenças", nos diz Saussure,[4] o que ele quer dizer é que os fonemas se caracterizam não por suas qualidades positivas, mas pelo fato de serem distintos. Ainda assim, a individualidade das palavras deve ser sentida de maneira especial por alguém para quem os fonemas escritos são uma novidade e os contornos das palavras apresentam uma nova precisão.

Na próxima seção, vamos observar o alfabeto grego bem de perto e considerar como o caráter especial desse alfabeto está ligado a uma sensibilidade particular sobre limites. Mas, por ora, vejamos o fenômeno do escritor arcaico de um ângulo mais amplo. Em Arquíloco e outros poetas arcaicos, encontramos pessoas impressionadas com novas maneiras de pensar sobre os limites – os limites de sons, letras, palavras, emoções, eventos no tempo e dos eus. Isso fica evidente tanto na forma como eles usam os

---

3   W. Jaeger (org.), *Paideia*. 3 vols. Berlim/Leipzig, 1934-1947, 1:114. (N.A.)
4   F. de Saussure. *Cours de linguistique générale*, 1971, p. 120. (N.A.)

materiais de poesia quanto nas coisas que dizem. A contração e o foco são o mecanismo do procedimento lírico. O alcance da narrativa épica se contrai a um momento de emoção; o elenco de personagens é reduzido a um ego; o olho poético entra no assunto de seu interesse como um único feixe de luz. A dicção e a métrica desses poetas parecem representar uma ruptura sistemática em relação às imensas camadas finas de gelo do sistema poético de Homero. As fórmulas épicas de frase e ritmo permeiam a poesia lírica, mas na lírica essas fórmulas são quebradas e remontadas de maneira diferente em formas e junções irregulares. Um poeta como Arquíloco é mestre de tais combinações, nitidamente ciente da fronteira entre o seu próprio procedimento e o procedimento épico: vimos como ele junta com habilidade unidades datílicas a iâmbicas no primeiro verso do fragmento 191, para que Eros atinja o coração do amante exatamente no ponto em que o tetrâmetro épico se desfaz em uma consternação iâmbica.

 A quebra interrompe o tempo e modifica os dados. Os textos escritos de Arquíloco interrompem pedaços de sons, retirando-os do tempo e apropriando-se deles. Uma pausa faz uma pessoa começar a pensar. Quando contemplo os espaços físicos que articulam as letras "eu te amo" em um texto escrito, posso ser levada a pensar em outros espaços, por exemplo, no espaço que existe entre o "você" no texto e o você na minha vida. Esses dois tipos de espaço são criados por um ato de simbolização. Ambos exigem que a mente saia do agora, do que é presente e real, e tente alcançar outra coisa, uma coisa vislumbrada na imaginação. Tanto nas cartas quanto no amor, imaginar é dirigir-se ao que é pelo que não é. Para escrever uma palavra coloco um símbolo no lugar de um som que está ausente. Escrever as palavras "eu te amo" requer uma outra substituição análoga, que é muito mais dolorosa em sua implicação. A ausência de "você" na sintaxe da minha vida não é um fato que pode ser mudado por palavras escritas. E é apenas esse fato que faz a diferença para quem ama, o fato de que você e eu não somos um. Arquíloco ultrapassa o limite desse fato e entra na extrema solidão.

Limite alfabético

O que o alfabeto grego tem de tão especial? Outras formas de escrita, tanto pictográficas quanto fonéticas, já existiam no mundo antigo, por exemplo, a escrita cuneiforme assíria, os hieróglifos egípcios e vários silabários do Oriente próximo. Mesmo assim, quando o alfabeto grego surgiu foi uma novidade surpreendente e revolucionou a capacidade humana de registrar pensamentos. Como?

Os gregos criaram seu alfabeto tomando como base o sistema de signos silábicos dos fenícios e modificando-o de maneiras decisivas em algum momento no início do século VIII a.C. O padrão é dizer que a principal modificação foi "introduzir as vogais". As vogais não eram expressas na escrita fenícia (embora seja possível que certas letras estivessem começando a adquirir algum caráter vocálico), mas, desde o início, o alfabeto grego tinha cinco vogais em pleno uso.[1] Essa descrição padrão, no entanto, não faz jus ao salto conceitual que distingue o alfabeto grego de todos os outros sistemas de escrita. Vamos olhar mais de perto a atividade de simbolização ímpar tornada possível quando os gregos inventaram os vinte e seis sinais originais do seu alfabeto.

---

1   A. G. Woodhead, *The Study of Greek Inscriptions*, 2ª ed., 1981. (N.A.)

A escrita que fornece um alfabeto verdadeiro para a língua é aquela capaz de simbolizar os fonemas da língua de maneira exaustiva, inequívoca e econômica. O primeiro e único sistema antigo de sinais a fazer isso foi o alfabeto grego. Outros sistemas fonéticos disponíveis para os gregos, por exemplo, os silabários não vocalizados das escritas semíticas do norte ou o silabário vocalizado conhecido como Linear B, usado por cretenses e gregos micênicos pré-históricos, operavam com o princípio de simbolizar cada som pronunciável da língua com um sinal separado. Centenas de sinais eram necessários, cada um representando uma única sílaba de vogal mais a consoante. Ao escolher traduzir som em símbolo gráfico, essas escrituras representaram um avanço decisivo no desenvolvimento da escrita. Porém, o alfabeto grego deu um passo conceitual a mais: quebrou as unidades de som pronunciadas em componentes acústicos. As vogais surgiram. Mas as vogais seriam inconcebíveis sem uma inovação prévia e audaciosa. Pois os componentes de qualquer ruído linguístico são dois: 1) um som (criado pela vibração de uma coluna de ar na laringe ou cavidade nasal ao ser expelido pelas cordas vocais); 2) o surgimento e interrupção do som (pela interação da língua, dentes, palato, lábios e nariz). As ações que iniciam e interrompem os sons, que consideramos "consoantes", não podem por si mesmas produzir som. Elas são não sons que, como disse Platão, "não têm voz" (*Tht.* 203b; cf. *Phlb.* 18b). A importância dessas entidades simbólicas impronunciáveis chamadas consoantes é resumida por um historiador da seguinte forma:

> O que deve ser enfatizado é que o ato que criou o alfabeto é uma ideia, um ato do intelecto que, no que diz respeito aos sinais para as consoantes independentes, é também um ato de abstração de qualquer coisa que um ouvido possa ouvir ou uma voz dizer. Pois

a consoante pura (t, d, k ou qualquer outra) é impronunciável sem que se acrescente a ela alguma sugestão de sopro vocálico. O sinal fenício representava uma consoante *mais qualquer vogal*, sendo a vogal fornecida a partir do contexto pelo leitor. O sinal grego, e isso pela primeira vez na história da escrita, representa uma abstração, a consoante isolada.[2]

Quando pensamos nessa invenção extraordinária que é o alfabeto grego e em como a mente humana opera quando usa o alfabeto, surgem em comparação as operações excepcionais de eros. Já tínhamos detectado uma analogia antiga entre linguagem e amor, implícita na concepção da respiração como condutor universal de influências sedutoras e de fala persuasiva. Aqui, diante do início da linguagem escrita e do pensamento letrado, vemos essa analogia ser revivida pelos escritores arcaicos que primeiro se aventuraram a registrar seus poemas. O alfabeto que eles usaram é um instrumento único. Essa singularidade é um desdobramento direto do poder do alfabeto de marcar os limites do som. Pois, como vimos, o alfabeto grego é um sistema fonético preocupado exclusivamente em representar certo aspecto do ato de fala, a saber, o início e a interrupção de cada som. O fator crucial são as consoantes. As consoantes marcam os limites do som. A relevância erótica disso é evidente, pois vimos que, para eros, é vital estar alerta aos limites das coisas, e ele faz com que as pessoas apaixonadas sintam esses limites. Assim, como eros insiste nos limites dos seres humanos e nos espaços que existem entre eles, a consoante escrita impõe limites aos sons da fala humana e insiste

---

2 K. Robb, "Poetic Sources of the Greek Alphabet" in E. A. Havelock & J. P. Hershbell (orgs.), *Communication Arts in the Ancient World*, 1978, p. 31. (N.A.)

na realidade desse limite, embora tenha origem na imaginação de quem lê e escreve.

Essa analogia entre a natureza de eros e o caráter do alfabeto grego pode parecer fantasiosa para o julgamento moderno e letrado; mas é provável que nossos julgamentos nessa área tenham sido embotados pelo hábito e pela indiferença. Nós lemos muito, escrevemos muito mal e lembramos muito pouco do desconforto prazeroso de quando aprendemos essas habilidades pela primeira vez. Pense em quanta energia, tempo e emoção são gastos nesse esforço de aprendizado: ele absorve anos da sua vida e toma conta da sua autoestima; informa muito do esforço posterior para compreender e se comunicar com o mundo. Pense na beleza das letras e em como a gente se sente quando começa a conhecê-las. Na sua autobiografia, Eudora Welty confessa sua suscetibilidade a tal beleza:

> Meu amor pelo alfabeto, que perdura, nasceu de recitá-lo, mas, antes disso, de ver as letras na página. Antes que eu pudesse ler os meus livros de histórias sozinha, me apaixonei por várias iniciais sinuosas e encantadoras desenhadas por Walter Crane no começo dos contos de fadas. Em "Once upon a time" [Era uma vez], no "O" tinha um coelho correndo como em uma esteira, os pés sobre as flores. Quando chegou o dia, anos depois, de eu ver o Livro de Kells,[3] toda a magia das letras, iniciais e palavras me envolveu mil vezes, e as iluminuras, o dourado, pareciam fazer parte da beleza e da santidade da palavra, que estavam lá desde o começo.[4]

---

3   O Livro de Kells, também conhecido como Grande Evangeliário de São Columba, é um manuscrito ilustrado com motivos ornamentais, feito por monges celtas por volta do ano 800. (N.T.)
4   E. Welty, *One Writer's Beginnings*, 1984, p. 9. (N.A.)

O deleite de Eudora Welty com as letras inscritas lindamente não é, eu acho, atípico para as pessoas que escrevem. Dizem que Pitágoras sentiu uma pressão estética semelhante:

> Πυθαγόρας αὐτῶν τοῦ κάλλους ἐπεμελήθη, ἐκ τῆς κατὰ γεωμετρίαν γραμμῆς ῥυθμίσας αὐτὰ γωνίαις καὶ περιφερείαις καὶ εὐθείαις.

> *He took pains over the beauty of letters, forming each stroke with a geometrical rhythm of angles and curves and straight lines.*

> Ele se esforçava para dar beleza às letras, formando cada traço com um ritmo geométrico de ângulos e curvas e linhas retas.
>
> (DIONÍSIO TRÁCIO, HILGARD, *GRAMM. GR.* 1.3.183)

Esforçar-se para escrever as letras é uma experiência que a maioria de nós conhece. As letras são formas sedutoras e difíceis que aprendemos traçando contornos repetidas vezes. No mundo antigo, era também assim que as crianças aprendiam a escrever, traçando as formas das letras, como podemos entender pela passagem do *Protágoras* de Platão:

> ὥσπερ οἱ γραμματισταὶ τοῖς μήπω δεινοῖς γράφειν τῶν παίδων ὑπογράψαντες γραμμὰς τῇ γραφίδι οὕτω τὸ γραμματεῖον διδόασιν καὶ ἀναγκάζουσι γράφειν κατὰ τὴν ὑφήγησιν τῶν γραμμῶν,

> *... just as those who are teaching pupils not yet adept at writing draw in the strokes of the letters in faint outline with the pen for them, then hand them the writing tablet and have them trace over the guidelines...*

> ... assim como aqueles que estão ensinando alunos ainda não adeptos da escrita desenham os traços das letras em contornos tênues

com a caneta, então entregam a prancheta para os alunos e pedem-lhes que escrevam por cima das linhas traçadas...

(326D)

Para qualquer pessoa que foi treinada dessa maneira, os contornos das letras são lugares memoráveis e emocionais, e permanecem sendo.

Podemos imaginar o poder com que esses contornos alfabéticos chocaram os olhos e as mentes das pessoas que os enfrentaram pela primeira vez no contexto da Grécia antiga. Existem várias cenas nas tragédias antigas que dramatizam esse encontro. A mais extensa é de um fragmento de *Teseu* de Eurípides. Um homem analfabeto está olhando para o mar e espia um navio com algo escrito nele. Ele "lê":

ἐγὼ πέφυκα γραμμάτων μὲν οὐκ ἴδρις,
μορφὰς δὲ λέξω καὶ σαφῆ τεκμήρια.
κύκλος τις ὡς τόρνοισιν ἐκμετρούμενος,
οὗτος δ' ἔχει σημεῖον ἐν μέσῳ σαφές·
τὸ δεύτερον δὲ πρῶτα μὲν γραμμαὶ δύο,
ταύτας διείργει δ' ἐν μέσαις ἄλλη μία·
τρίτον δὲ βόστρυχός τις ὣς εἰλιγμένος·
τὸ δ' αὖ τέταρτον ἦ μὲν εἰς ὀρθὸν μία,
λοξαὶ δ' ἐπ' αὐτῆς τρεῖς κατεστηριγμέναι
εἰσίν· τὸ πέμπτον δ' οὐκ ἐν εὐμαρεῖ φράσαι·
γραμμαὶ γάρ εἰσιν ἐκ διεστώτων δύο,
αὗται δέ συντρέχουσιν εἰς μίαν βάσιν·
τὸ λοίσθιον δὲ τῷ τρίτῳ προσεμφερές.

I'm not skilled at letters but I will explain the shapes and clear symbols to you.

There is a circle marked out as it were with a compass
and it has a clear sign in the middle.
The second one is first of all two strokes
and then another one keeping them apart in the
   middle.
The third is curly like a lock of hair
and the fourth is one line going straight up
and three crosswise ones attached to it.
The fifth is not easy to describe:
there are two strokes which run together from
   separate points
to one support.
And the last one is like the third.

Eu não sou habilidoso com as letras, mas vou explicar as formas
e símbolos para você.
Tem um círculo feito como que com compasso
e tem um sinal bem marcado no meio.
O segundo é antes de tudo feito de dois traços
e depois outro mantendo-os separados pelo
   meio.
O terceiro é como um cacho numa mecha de cabelo
e o quarto é uma linha que sobe
e três linhas cruzadas ligadas a ela.
O quinto não é fácil de descrever:
tem dois traços que se encontram e vêm de
   pontos separados
em direção a um único suporte.
E o último é parecido com o terceiro.

(TGF, FR. 382)

O homem soletrou as seis letras do nome "Teseu": ΘΗΣΕΥΣ. Deve ter sido uma cena com efeito dramático eficaz, pois dois outros trágicos a imitaram tal qual, como mostram os fragmentos que sobreviveram (Agatão, TGF fr. 4 e Teodectes, TGF fr. 6; cf. Ath. 10.454b). Diz-se que Sófocles montou uma peça sátira na qual um ator dançava as letras do alfabeto (TGF, fr. 156; Ath. 10.454f). O dramaturgo cômico ateniense Cálias produziu algo conhecido como A *revista alfabética*, em que os vinte e quatro membros do coro representavam as letras do alfabeto e imitavam sílabas dançando em pares de vogais e consoantes (Ath. 453c). Ao que parece, nessas peças, uma parte considerável do público podia participar do fascínio e desgosto de traçar formas alfabéticas. Talvez essas pessoas já tivessem elas mesmas o praticado quando aprenderam as letras. Talvez tenham se sentido intimidadas com a tarefa e nunca tenham aprendido as letras. Talvez ouvissem, toda noite no jantar, suas crianças reclamando de ter que aprendê-las. Em todo o caso, as pessoas que se sentiam atraídas por tal peça eram aquelas cuja imaginação podia ser apreendida pelo espetáculo das *grammata* tomando forma no ar como se fossem reais. Tais imaginações são vividamente pictóricas e, evidentemente, sentem certo prazer nos contornos estéticos do alfabeto.

Se considerarmos a escrita antiga como uma produção física, veremos essa imaginação em ação. Os gregos simplesmente consideravam seu alfabeto como um conjunto de dispositivos pictóricos. Ao longo do século VI a.C, os gregos usaram para suas inscrições o estilo de escrita contínuo de vaivém conhecido como *boustrophēdon*, assim chamado porque, no final de cada linha, é preciso voltar ao começo, como faz o boi quando volta com o arado ao longo do sulco (Pausânias 5.17.6). Todas as letras nas linhas ímpares estariam voltadas para uma direção e todas as letras das linhas pares estariam voltadas para a direção oposta. Escrever dessa maneira era mais fácil para o escritor grego porque, das vinte e seis formas disponíveis, doze eram simétricas, seis exigiam bem pouca mudança na reversão e apenas oito eram nitidamente diferentes olhando de trás para a frente. Tal estilo sugere um escritor que concebe as letras como um conjunto de formas novas e reversíveis: uma maneira grega de pensar sobre as letras. Ao que parece, a sociedade grega não emprestou esse estilo de nenhum outro sistema de escrita. "Sua adoção", diz L.H. Jeffrey, "implica simplesmente uma concepção pictórica das letras como figuras delineadas que podem ser viradas para qualquer direção de acordo com a necessidade".[5]

Nos primeiros escritores gregos, a atenção ao traçado aparece não apenas no nível das letras individuais, mas também na abordagem em relação a grupos de palavras e linhas de texto. É uma característica evidente das inscrições arcaicas que, frequentemente, marcam divisões entre grupos de palavras com padrões de pontos que são colocados uns em cima dos outros, formando pequenas colunas de dois, três ou seis. Essa prática desapareceu nos tempos clássicos, quando escritores e leitores pararam de se importar com o poder de impor ou negar limites. Nas primeiras inscrições, também se deu atenção à demarcação de linhas inteiras de texto, e isso não é só uma consequência do estilo *boustrophēdon*, em que linhas alternadas são distinguidas pela direção da escrita. Mesmo depois que esse estilo foi substituído, em quase todos os lugares, por uma escrita consistente da esquerda para a direita (no século V), escritores continuaram a marcar a distinção alternando as cores de tinta. As letras lapidadas em pedra também eram às vezes coloridas com tinta em linhas alternadas de

---

5   L. H. Jeffrey, *The Local Scripts of Archaic Greece*, 1961, p. 46. (N.A.)

vermelho e preto. Os epigrafistas alegam "certa atração estética" como motivo (por exemplo, Woodhead)[6] para essas peculiaridades. Mas devemos atentar para o funcionamento da estética. Na escrita, a beleza usa o limite como vantagem.

Tampouco devemos desconsiderar os instrumentos e materiais da escrita antiga. As pessoas escreveram em pedra, madeira, metal, couro, cerâmica, tabuletas enceradas e papiro. No século V, o papiro era o meio mais aceito (ver Heródoto 5.58; cf. Aesch. *Supp*. 947) e a palavra dos gregos para "livro" foi tomada de *byblos*, "planta de papiro". O papiro, tanto o material em si quanto a ideia de escrever nele, veio originalmente de Gebal, na Fenícia, e depois do Egito, mas os gregos não usavam o papiro da mesma forma que os egípcios ou fenícios. Em vez disso, eles repensaram a atividade e redesenharam os materiais, como haviam feito quando assumiram o sistema de sinais fenício e o transformaram no primeiro alfabeto do mundo. Uma inovação radical foi introduzida: os escritores gregos inventaram uma caneta para usar no papiro (Turner 1952, p. 10).[7]

Os egípcios escreviam com a haste de um junco. As extremidades da haste eram cortadas na diagonal e mastigadas para criar uma bela ferramenta em forma de pincel. Com esse pincel macio, o escritor egípcio, em vez de escrever, pintava as letras, produzindo uma faixa de tinta grossa e muitas vezes irregular que deixava rastros tortuosos por onde passava. Escritores gregos inventaram uma caneta a partir de um caule, duro e oco, chamado *kalamos* (ver Pl., *Phdr*. 275). Ele era afiado com uma faca

---

6   A. G. Woodhead, *The Study of Greek Inscriptions*, 1981, p. 27. (N.A.)
7   E. G. Turner, Athenian Books in the Fifth and Fourth Centuries B.C., 1952, p. 10. (N.A.)

e rachado na ponta. A caneta de caule produzia uma linha fina sem irregularidades por onde passava. "Mas se a mão parar por um instante, seja no início ou no final de um traço, uma pequena gota redonda de tinta se acumula...", adverte o papirologista E.G. Turner.[8] A caneta de caule parece ser uma ferramenta projetada, expressamente, para manter os contornos das letras bem demarcados. Mas o usuário deve prestar atenção exatamente onde deseja parar e começar cada traço de letra. Gotas de tinta estragam tanto a qualidade do produto escrito quanto o prazer de produzi-lo. A experiência ensina, no limite: existe a junção de prazer, risco e dor para quem escreve.

É possível dizer, portanto, pela maneira como escreviam e pelas ferramentas que usavam, que pessoas leitoras e escritoras da Antiguidade concebiam o alfabeto grego como um sistema de contornos ou bordas. Mas vamos dar um passo além do procedimento físico da escrita para chegar à atividade da mente que informa a escrita. É uma atividade de simbolização. Por ser um sistema fonético, o alfabeto grego não está preocupado em simbolizar objetos do mundo real, mas no próprio processo em que os sons atuam para construir a fala. A escritura fonética imita a própria atividade do discurso. O alfabeto grego revolucionou essa função imitativa com a introdução da consoante, que é um elemento teórico, uma abstração. A consoante funciona por meio de um ato de imaginação na mente do usuário. Estou escrevendo este livro porque esse ato me fascina. É um ato no qual a mente se estende para fora do que é presente e real e tenta alcançar outra coisa. Eros opera por meio de um ato de imaginação análogo, que será apresentado a seguir como o que há de mais fascinante sobre eros.

---

8   E. G. Turner, op. cit., p. 11. (N.A.)

O que a amante quer do amor?

"O prazer que minha surpreendente vitória sobre Menti me deu não chegou a um centésimo da intensidade da dor que senti quando ela me deixou pelo sr. Rospiec."

STENDHAL, *A VIDA DE HENRI BRULARD*

À primeira vista, a amante deseja a pessoa amada. Mas isso, é claro, não é o que acontece na verdade. Se olharmos atentamente para uma amante enquanto deseja, como Safo no fragmento 31, vemos o quão grave é para ela a experiência de confronto com a amada, mesmo à distância. A união seria aniquiladora. O que a amante desse poema precisa é poder encarar a amada sem ser destruída, ou seja, ela precisa atingir a condição do "homem que escuta com atenção". Para a amante, a impassibilidade ideal do homem constitui um vislumbre de um novo eu possível. Se pudesse realizar esse eu, ela também poderia, enquanto deseja, ser "igual aos deuses"; na medida em que não realiza esse eu, ela pode ser destruída pelo desejo. As duas possibilidades são projetadas em uma tela do que é real e atual, por meio da triangulação, uma tática da poeta. Aquele eu divino, que nunca tinha sido conhecido antes, agora entra em foco e desaparece novamente com uma mudança rápida de visão. À medida que os planos de visão aparecem e desaparecem, o eu real, o eu ideal e a diferença entre eles se conectam momentaneamente em um triângulo. A conexão é eros. O que a amante quer é se sentir atravessada pela corrente de eros.

As características essenciais que definem eros já surgiram no decorrer de nossa exploração sobre o estado doce-amargo. Os sintomas são prazer e dor simultâneos. A falta é o que anima eros, é seu constituinte fundamental. Como sintaxe, eros nos impressionou por ser um tipo de subterfúgio: é propriamente um substantivo, mas atua em qualquer lugar como verbo. Sua ação é tentar alcançar, e o alcance do desejo envolve qualquer pessoa que ama em uma atividade imaginativa.

Não é novidade nenhuma que a imaginação desempenha um papel poderoso no desejo humano. A descrição que Homero faz de Helena na *Ilíada* talvez seja a demonstração arquetípica disso. A descrição é comedida. Homero apenas nos diz que os velhos na muralha de Troia a viram passar e soltaram um sussurro:

οὐ νέμεσις Τρῶας καὶ ἐϋκνήμιδας Ἀχαιοὺς
τοιῇδ' ἀμφὶ γυναικὶ πολὺν χρόνον ἄλγεα πάσχειν·

It is no discredit for Trojans and well-greaved
    Achaeans
to suffer long anguish for a woman like that.

Não é descrédito para Troianos e bem armados
    Aqueus
sofrer longa angústia por uma mulher assim.

(IL. 3.156-57)

Helena continua sendo desejada universalmente, imaginada universalmente e perfeita.

Os teóricos do erótico gastam um tempo considerável descobrindo e redescobrindo a imaginação de quem ama a partir de diferentes ângulos. Aristóteles define o deleite dinâmico e imaginativo do desejo em *Retórica*. "Desejar é tentar alcançar [*orexis*] o doce", ele diz, e o homem que busca algum prazer, seja em forma de esperança no futuro ou em forma de memória no passado, o faz por meio de um ato de imaginação (*phantasia*: *Rh*. 1.1370a6). André Capelão analisa a dor do desejo amoroso sob a mesma perspectiva no tratado *De Amore*, do século XII, insistindo que essa *passio* é um evento inteiramente mental: "O sofrimento amoroso não surge de nenhuma ação... somente a cogitação da mente em relação ao que ela vê causa sofrimento" (XIV). Stendhal, em seu famoso ensaio sobre o amor, descobre no amante um processo de fantasia que ele chama de "cristalização" a partir de um fenômeno testemunhado nas minas de Salzburgo:

> Deixe um amante sozinho com seus pensamentos por vinte e quatro horas e é isso que vai acontecer: nas minas de sal de Salzburgo, eles jogaram um galho desfolhado pelo inverno em uma das construções abandonadas. Dois ou três meses depois, eles pegam o galho de volta coberto com uma camada brilhante de cristais. O menor ramo, não maior do que a garra de um chapim, está cravejado de uma galáxia de diamantes cintilantes. O ramo original não é mais reconhecível. O que chamei de cristalização é um processo mental que extrai de tudo o que acontece novas provas da perfeição da pessoa amada.[1]

Kierkegaard também reflete sobre esse "poder sensualmente idealizador ... [que] embeleza e desenvolve a pessoa desejada para que ela resplandeça pelo reflexo da beleza aumentada". A força com a qual Don Juan seduz pode ser encontrada nessa "energia do desejo sensual", conclui Kierkegaard, com certo alívio.[2] A teo-

---

[1] Stendahl (M. H. Beyle), *Love*, Trad. G. Sale e S. Sale, 1957, p. 45. (N.A.)
[2] S. Kierkegaard, *Either/Or: A Fragment of Life*, Trad. D. F. Swenson e L. M. Swenson, 1944, pp. 86-102. (N.A.)

ria freudiana também nota essa faculdade projetiva do instinto erótico humano, atribuindo-lhe o dano conhecido como "transferência" em situações psicanalíticas. A transferência surge em quase todas as relações psicanalíticas quando o paciente insiste em se apaixonar pelo psicanalista, apesar da indiferença do profissional, das advertências e do desencorajamento. Trata-se de uma lição importante sobre desconfiança erótica que está disponível à pessoa analisada que se observa inventando do nada um objeto amoroso.

Tais invenções fascinam o romancista moderno. A paixão de Anna Kariênina por Vrónski depende de um ato mental:

> Anna pôs as duas mãos nos ombros de Vrónski e fitou-o demoradamente com um olhar profundo, extasiado e ao mesmo tempo perscrutador. Estudou seu rosto para compensar o tempo que ficara sem o ver. Anna, como fazia em todos os encontros, decalcava em uma única imagem aquela figura representada em sua imaginação (incomparavelmente melhor, impossível, na realidade) e a figura de Vrónski em pessoa, tal como era de fato.[3]

As cartas de amor de Emma Bovary para Rodolphe encenam o mesmo processo: "Mas, ao escrever-lhe, ela percebia um outro homem, um fantasma feito de suas mais ardentes lembranças, de suas mais belas leituras, de suas mais fortes cobiças; e ele se tornava finalmente tão verdadeiro, e acessível, que ela palpitava maravilhada, sem poder, entretanto, imaginá-lo nitidamente, de

---

[3] L. N. Tolstoy, *Anna Karenina*, Trad. R. Edmonds, 1978, pt. 4, cap. 2. [Ed. bras.: *Anna Kariênina*. Trad. Mário Laranjeira. São Paulo: Penguin/Companhia das Letras, 2011.] (N.A.)

tanto que ele se perdia, como um deus, sob a abundância de seus atributos". A heroína do romance *O cavaleiro inexistente*, de Italo Calvino, é uma esplêndida hedonista que descobre que só consegue sentir desejo verdadeiro pelo cavaleiro do título, uma armadura vazia; todos os outros são ou conhecidos ou cognoscíveis e não conseguem excitá-la. Aqui chegamos novamente ao cerne da questão. O que é conhecido, alcançado, possuído, não pode ser objeto de desejo. "No amor, a posse não é nada, apenas o prazer importa", diz Stendhal.[4] Eros é falta, diz Sócrates. Yasunari Kawabata oferece a esse dilema uma imagem ainda mais sutil. Seu romance *Beleza e tristeza* (1975) narra os primeiros dias do casamento de Oki e Fumiko. Oki é romancista e Fumiko datilógrafa em uma agência de notícias. Ela datilografa todos os manuscritos de Oki, e essa conexão é a base do fascínio que sente o marido recém-casado por sua esposa:

> Era uma espécie de jogo entre o casal, o doce estar junto de recém-casados, mas existia algo além disso. Quando o trabalho dele apareceu pela primeira vez em uma revista, ele ficou surpreso com a diferença de efeito entre um manuscrito à caneta e os minúsculos caracteres impressos.[5]

À medida que Oki se acostuma com essa "lacuna entre o manuscrito e o trabalho publicado", sua paixão por Fumiko enfraquece e ele arranja uma amante fora do casamento.

É na diferença entre a letra cursiva e a tipografia, entre o Vrónski real e o imaginário, entre Safo e o "homem que ouve

---

4 Stendahl, op. cit., 1957, p. 112. (N.A.)
5 Y. Kawabata, *Beauty and Sadness*, Trad. H. Hibbet, 1975, p. 34. (N.A.)

atentamente", entre um cavaleiro real e uma armadura vazia, que o desejo é sentido. Uma faísca de eros se move na mente de quem ama, atravessando esse espaço de diferença, para ativar o prazer. O prazer é um movimento (*kinēsis*) da alma, na definição de Aristóteles (*Rh.* 1.1369b19). Sem diferença: sem movimento. Não existe Eros.

Um estado de conhecimento é emitido pela faísca que se lança na alma da pessoa apaixonada. Ela sente que está prestes a entender algo que não foi entendido antes. Nos poetas gregos começa a entrar em foco um conhecimento sobre o eu, um que era desconhecido antes e que agora é revelado pela própria falta – pela dor, por um buraco, amargamente. Nem todas as pessoas apaixonadas reagem ao conhecimento erótico de modo tão negativo. Nos impressiona a equanimidade com que o personagem de Virginia Woolf, Neville, registra "Alguma coisa agora me abandona" e vimos que, para Nietzsche, uma rajada de euforia acompanha a mudança do eu .[6] Mas, depois, Nietzsche fala que o mundo moderno é um asno que diz sim para tudo. Os poetas gregos não dizem sim. Eles admitem que a experiência erótica é doce no começo: *gluku*. Reconhecem as possibilidades ideais, abertas pela experiência erótica, para a individualidade; e, de maneira geral, fazem isso divinizando a experiência erótica na pessoa do deus Eros. Safo, como vimos, projeta o ideal na pessoa do "homem que ouve atentamente" no fragmento 31. Um amante mais narcísico, a saber, Alcibíades n'*O banquete* de Platão, submete o ideal a si mesmo, anunciando de maneira direta seu motivo para seguir Sócrates:

---

6 F. Nietzsche, op. cit. (N.A.)

ἐμοὶ μὲν γὰρ οὐδέν ἐστι πρεσβύτερον τοῦ ὡς ὅτι
βέλτιστον ἐμὲ γενέσθαι

*For me nothing has a higher priority than to perfect
myself.*

Para mim, nada tem maior prioridade do que aperfeiçoar
a mim mesmo.

(SYMP. 218D)

Mas falta um sentimento de satisfação diante desse pensamento de incorporar as possibilidades do eu dentro da identidade desse eu. Nessas representações antigas, o Eros doce-amargo é representado, de maneira consistente, como uma imagem negativa. Supostamente, se a pessoa apaixonada, algum dia, reincorporasse sua falta a um eu novo e melhor, uma imagem positiva poderia ser criada. Poderia mesmo? O que a amante quer do amor é essa imagem positiva?

Uma resposta antiga se apresenta. Aristófanes faz essa mesma pergunta a um casal de amantes imaginários em O *banquete de Platão*. Ele retrata os amantes juntos abraçados e considera absurda a noção de que só o que eles querem é essa "mera união amorosa" (*sunousia tōn aphrodisiōn*, 192c):

ἀλλ' ἄλλο τι βουλομένη ἑκατέρου ἡ ψυχὴ δήλη ἐστίν, ὃ οὐ δύναται
εἰπεῖν. ἀλλὰ μαντεύεται ὃ βούλεται, καὶ αἰνίττεται.

*No, obviously the soul of each is longing for something else which it
cannot put into normal words but keeps trying to express in oracles
and riddles.*

Não, obviamente a alma deles anseia por outra coisa que não pode ser colocada em palavras normais, mas que ela continua tentando expressar em oráculos e enigmas.

(192C-D)

O que é essa "outra coisa"? Aristófanes continua:

καὶ εἰ αὐτοῖς ἐν τῷ αὐτῷ κατακειμένοις ἐπιστὰς ὁ Ἥφαιστος, ἔχων τὰ ὄργανα, ἔροιτο· "Τί ἔσθ' ὃ βούλεσθε, ὦ ἄνθρωποι, ὑμῖν παρ' ἀλλήλων γενέσθαι;" καὶ εἰ ἀποροῦντας αὐτοὺς πάλιν ἔροιτο· "Ἆρά γε τοῦδε ἐπιθυμεῖτε, ἐν τῷ αὐτῷ γενέσθαι ὅτι μάλιστα ἀλλήλοις, ὥστε καὶ νύκτα καὶ ἡμέραν μὴ ἀπολείπεσθαι ἀλλήλων; εἰ γὰρ τούτου ἐπιθυμεῖτε, θέλω ὑμᾶς συντῆξαι καὶ σνμφυσῆσαι εἰς τὸ αὐτό, ὥστε δύ' ὄντας ἕνα γεγονέναι καὶ ἕως τ' ἂν ζῆτε, ὡς ἕνα ὄντα, κοινῇ ἀμφοτέρονς ζῆν, καὶ ἐπειδὰν ἀποθάνητε, ἐκεῖ αὖ ἐν Ἅιδου ἀντὶ δυοῖν ἕνα εἶναι κοινῇ τεθνεῶτε· ἀλλ' ὁρᾶτε εἰ τούτου ἐρᾶτε καὶ ἐξαρκεῖ ὑμῖν ἂν τούτου τύχητε·"

Suppose that, as the lovers lay together, Hephaistos should come and stand over them, tools in hand, and ask: "O human beings, what is it you want of one another?". And suppose they were nonplussed, so he put the question again: "Well, is this what you crave, to be joined in the closest possible union with one another, so as not to leave one another by night or day? If that is your craving, I am ready to melt you together and fuse you into a single unit, so that two become one and as long as you live you may both, as one, live a common life, and when you die you may also, down there in Hades, one instead of two, die a common death. Consider whether this is what you desire, whether it would satisfy you to obtain this."

Suponha que, enquanto os amantes estão deitados juntos, Hefesto venha e fique diante deles, com ferramentas na mão, e pergunte: "Ó seres humanos, o que vocês querem um do outro?". E suponha que eles fiquem perplexos, então ele repete a pergunta: "Bem, é isso que vocês desejam, estarem unidos o mais perto possível um do outro, a ponto de não se separarem de noite ou de dia? Se é isso o que desejam, posso derretê-los e fundi-los em uma única unidade, para que assim dois se tornem um e, enquanto vocês viverem, ambos, como um, poderão viver uma vida comum, e quando vocês morrerem, poderão também, lá no Hades, um em vez de dois, morrerem uma morte comum. Considerem se isso é o que vocês desejam, se isso seria satisfatório para vocês."

(192D-E)

A oferta de Hefesto é a unidade eterna. Não se ouve a resposta dos amantes. Em vez disso, o próprio Aristófanes intervém para pronunciar: "É o que qualquer pessoa apaixonada quer" (192e). Contudo, o quão confiável é Aristófanes, ou seu porta-voz Hefesto, como testemunha, para responder o que um amante realmente quer? Duas ressalvas nos chamam a atenção: Hefesto, o corno impotente do panteão olímpico, pode ser visto, apenas na melhor das hipóteses, como uma autoridade qualificada em assuntos eróticos; e o julgamento de Aristófanes ("é o que qualquer pessoa apaixonada quer") é desmentido pela antropologia do seu próprio mito. Os seres redondos da sua história continuaram perfeitamente contentes rolando pelo mundo em uma unidade pré-lapsariana? Não. Eles tiveram uma ideia mais ambiciosa e decidiram rolar, em direção ao Olimpo, para agir como os deuses (190b-c). Começaram a procurar por outra coisa. A unidade não era o bastante.

Como vimos em vários exemplos, não é em direção ao número "um" que a mente de quem ama se inclina quando lhe é dada a oportunidade de expressar seu desejo. As manobras de triangulação provam isso. Pois o prazer da pessoa apaixonada está em tentar alcançar; alcançar algo perfeito seria o prazer perfeito. A doce maçã, ainda pendurada no galho, no fragmento 105a de Safo, representa esse fato doloroso, delicioso. Examinamos algumas das táticas de incompletude que Safo usa para sustentar o desejo e a desejabilidade no poema. Vimos táticas semelhantes penetrando a lógica das pessoas apaixonadas e expondo uma solidão que antes era desconhecida. São táticas imaginativas, que ora servem para engrandecer a pessoa amada, ora para reinventar a pessoa que ama, mas todas visam definir certo limite ou certa diferença: um limite entre duas imagens que não podem se fundir em um único foco porque não derivam do mesmo nível de realidade – uma é real, outra é possível. Entender ambas, mantendo visível a diferença, é o subterfúgio chamado eros.

Símbolo

"O espaço se estica para fora de nós e traduz[1] o mundo."
RILKE, "WHAT BIRDS PLUNGE THROUGH IS NOT THE INTIMATE SPACE"
["O QUE OS PÁSSAROS MERGULHAM NÃO É O ESPAÇO ÍNTIMO"]

Começamos nossa investigação sobre Eros doce-amargo [*bittersweet*] tolerando um erro de tradução do *glukupikron* de Safo. Assumimos que Safo coloca *gluku-* primeiro porque a doçura de Eros é mais óbvia do que sua amargura. Depois, nós focamos no lado amargo. Esses julgamentos foram superficiais, agora conseguimos enxergar isso. A doçura de Eros é inseparável da sua amargura, e cada qual participa, de uma maneira ainda não óbvia, da nossa vontade humana por conhecimento. Parece haver alguma semelhança entre o modo como Eros age na mente de quem ama e o modo como o conhecimento age na mente de quem pensa. A filosofia tem se esforçado, desde o tempo de Sócrates, para compreender a natureza e os usos dessa semelhança. Mas não são apenas filósofos que se interessam por isso. Eu gostaria de entender por que essas duas atividades, apaixonar-se e passar a conhecer, me fazem sentir tão viva. Existe nessas atividades uma espécie de eletricidade. Elas não se parecem com mais nada, mas se parecem uma com a outra. Como? Vejamos se a concepção

---

1 Vemos aqui mais uma das mudanças que Carson parece fazer nas citações. O poema de Rainer Maria Rilke usa "construir" o mundo e não "traduzir". (N.T.)

de *glukupikrotēs* dos poetas antigos, como passamos a entendê-la, pode nos informar algo sobre o assunto.

"Todos os homens, por natureza, procuram saber", diz Aristóteles (*Metaph*. A 1.980a21). Se for assim, essa frase revela algo importante sobre as atividades de conhecer e desejar. Elas têm em seu âmago o mesmo prazer, o de tentar alcançar, e acarretam a mesma dor, a de ficar aquém ou não ser suficiente. Essa revelação pode já estar implícita em certo uso de Homero, pois a dicção épica tem o mesmo verbo (*mnaomai*) para "estar atento, ter algo em mente, dirigir a atenção para" e "conquistar, cortejar, ser um pretendente". A mente pensante, estacionada no limite de si mesma ou do seu conhecimento atual, lança um pedido de entendimento ao desconhecido. Da mesma forma, quem corteja encontra-se no limite do seu valor como pessoa e faz uma reivindicação aos limites de outra pessoa. Tanto a mente quanto a pessoa que corteja extrapolam o que é conhecido e real para ir em direção a algo diferente, possivelmente melhor, desejado. Aquela outra coisa. Imagine como é isso.

Quando tentamos pensar sobre o nosso próprio pensamento, ou quando tentamos sentir o nosso próprio desejo, nos encontramos em um ponto cego. Parece o ponto em que está quem observa a pintura *Las meninas*, de Velázquez, enquanto a observa. *Las meninas* é uma obra de Velázquez pintando o rei e a rainha da Espanha. Mas o rei e a rainha não estão no quadro. Ou estão? Na tela aparecem muitas pessoas, incluindo Velázquez, mas nenhuma delas parece ser o rei e a rainha, e todas estão olhando fixamente para outra pessoa além da moldura do quadro. Quem? Quando olhamos e encontramos os olhares dessas pessoas, imaginamos a princípio que elas estão olhando para nós. Então notamos alguns rostos em um espelho no fundo da sala. De quem são esses rostos? Nossos? Não. São do rei e da rainha da Espanha.

Mas, então, onde estão o rei e a rainha? Eles parecem estar exatamente onde nós estamos enquanto contemplamos a pintura e vemos seus reflexos no espelho. Mas onde estamos nós? Aliás, quem somos nós?

Não somos ninguém em especial e estamos em um ponto cego. Michel Foucault analisou a obra de Velázquez e o ponto cego da pintura em seu estudo da arqueologia do conhecimento humano, *As palavras e as coisas*. Foucault chama o ponto cego de "nesse esconderijo essencial onde nosso olhar se furta a nós mesmos no momento em que olhamos".[2] Não podemos ver esse ponto, como não podemos pensar o pensamento ou desejar o desejo, exceto por um subterfúgio. Em *Las meninas*, vemos o subterfúgio que acaba de entrar em foco em um espelho no fundo da sala. Nos termos de Foucault, esse espelho fornece "uma metátese da visibilidade" porque em torno dele a pintura organiza um vazio deliberado: "As linhas que atravessam a profundidade do quadro são incompletas; falta, a todas, uma parte de seu trajeto. Essa lacuna é causada pela ausência do rei – uma ausência que é um artifício do pintor".[3]

O artifício de Velázquez triangula nossa percepção para que nós vejamos todos, menos nós mesmos, olhando. Ou seja, ele organizou a pintura de tal maneira que um fato assombroso gradualmente começa a surgir em nós à medida que observamos a pintura. O fato, a saber, é que o vazio registrado pelo espelho não é o do rei Filipe IV e da rainha Mariana. É o nosso. Permanecemos, como suplentes, no lugar onde o rei e a rainha estariam,

---

[2] M. Foucault, *The Order of Things: An Archaeology of the Human Sciences*, 1973. [Ed. bras.: *As palavras e as coisas*. Trad. Salma Tannus Muchail. São Paulo: Martins Fontes, 2000, p. 4.] (N.A.)
[3] Ibidem, p. 16. (N.T.)

reconhecemos (com certa decepção) que os rostos que aparecem no espelho não são os nossos rostos e vemos tudo menos (se o ângulo não continuasse saindo de foco) aquele ponto em que desaparecemos em nós mesmas para que possamos olhar. Um ponto situado na lacuna entre nós e eles. As tentativas de se concentrar nesse ponto levam a mente à vertigem, ao mesmo tempo, certo tipo especial de prazer intenso está presente. Ainda que o ponto nos dilacere, ansiamos por vê-lo. Por quê?

Não existe quietude no ponto. Seus componentes se dividem e divergem toda vez que tentamos colocá-los em foco, como se continentes interiores estivessem se retorcendo dentro da mente. Não é um ponto que podemos olhar de maneira a convergirmos, tranquilamente, com rei e rainha em uma única imagem, um substantivo. Esse ponto é um verbo. Toda vez que olhamos para o ponto, ele age. Como?

Vamos manter essas questões em mente enquanto consideramos outro ponto na paisagem do pensamento humano, um ponto que também é um verbo – além de tudo, um verbo que triangula, assombra, divide, distorce e encanta cada vez que age. Consideremos o ponto de ação verbal chamado "metáfora".

"Nomear coisas que não têm nome por meio de transferência [*metaphora*] a partir de coisas aparentadas ou semelhantes em aparência" é como Aristóteles descreve a função da metáfora (*Rh.* 3.2.1405a34). Na teoria atual, esse processo de pensamento pode ser melhor entendido como uma interação entre o sujeito e o predicado da sentença metafórica. O sentido metafórico é produzido pela sentença inteira e funciona por meio do que um crítico chama de "impertinência semântica",[4] ou seja,

---

4   J. Cohen. *Structure du langage poétique*, 1966. (N.A.)

uma violação do código de pertinência ou relevância que rege a atribuição de predicados no uso comum da língua. A violação permite que surja uma nova pertinência ou congruência, que é o sentido metafórico, a partir do colapso do sentido ordinário ou literal. Como surge essa nova pertinência? Acontece na mente uma mudança ou deslocamento de distância, que Aristóteles chama de *epiphora* (*Poet*. 21.1457b7), que aproxima duas coisas heterogêneas a fim de revelar o parentesco entre elas. A inovação da metáfora acontece nesse deslocamento de distância, de longe para perto, e é afetada pela imaginação. Um ato virtuoso de imaginação aproxima as duas coisas, enxerga sua incongruência, então enxerga também uma nova congruência, enquanto continua reconhecendo a incongruência anterior através da nova congruência. Tanto o sentido comum, literal, quanto o novo sentido estão presentes ao mesmo tempo nas palavras da metáfora; tanto a referência comum, descritiva, quanto a nova referência são mantidas tensionadas pelo modo metafórico de ver o mundo.

Portanto, uma tensão grave e insolúvel informa essa ação mental. Exige da mente uma "visão estereoscópica" (como afirma Stanford)[5] ou uma "referência dividida" (nos termos de Jakobson), isto é, uma capacidade de manter em equilíbrio duas perspectivas ao mesmo tempo. Paul Ricœur chama de estado de guerra essa tensão mental, uma condição em que a mente ainda não alcançou a paz conceitual, está presa entre distância e proximidade, entre semelhança e diferença. Tal estado de guerra marca a paisagem de todo pensamento humano, segundo Ricœur:

---

5 W. B. Stanford, *Greek Metaphor: Studies in Theory and Practice*, 1936. (N A.)

Podemos falar com Gadamer da metaforicidade fundamental do pensamento na medida em que a figura do discurso que chamamos de "metáfora" nos permite um vislumbre do procedimento geral pelo qual produzimos conceitos. Isso porque, no processo metafórico, o movimento em direção à espécie é detido pela resistência da diferença e, por assim dizer, interceptado pela figura da retórica.[6]

O ato de captura e interceptação, que divide a mente e a coloca em estado de guerra dentro de si, é o ato que chamamos de "metáfora". Vamos comparar esse ato com a nossa experiência de *Las meninas*. No cerne do ato chamado "metáfora" nossas mentes buscam uma identificação: "nomear a coisas que não têm nome", como diz Aristóteles. O artifício de Velázquez, por sua vez, nos provoca a tentar nomear aquele objeto para o qual estão olhando todos os olhos que olham para fora da pintura. Por um momento, imaginamos todos esses olhos olhando para nós. Mas depois vemos os rostos no espelho. Nosso movimento para nomear esses rostos é capturado pela diferença entre as duas espécies (nós, o rei e a rainha) que são candidatas a essa classificação. A captura acontece junto de uma torção que reparte nossa visão, divide nosso julgamento e não é resolvida, por mais que voltemos a ela, pois, cada vez que olhamos, nosso momento prazeroso de autorreconhecimento é interceptado por dois rostos da realeza vagamente refletidos no vidro. Aristóteles identifica esse momento de interceptação no pensamento metafórico, quando a mente parece dizer a si mesma: "Bom, era verdade mesmo! No final das contas, eu estava bem errada!". Ele chama esse momento de ele-

---

6 P. Ricœur, "The Metaphorical Process as Cognition, Imagination, and Feeling", *Critical Inquiry*, vol. 5, 1978, pp. 149. (N.A.)

mento paradoxal (*ti paradoxon*) e o considera um dos prazeres essenciais da metáfora (*Rh*. 3.2.1412a6).

Também existe "algo paradoxal" no núcleo do poder de Eros, naquele ponto em que o amargo intercepta o doce. Existe um deslocamento de distância que aproxima o que é ausente e diferente. As "ausências de olhos nas estátuas" apresentam Helena a Menelau enquanto ele está no salão vazio, no ponto cego entre o amor e o ódio (Aesch. *Ag*. 414-19). "Eles o amam, o odeiam e desejam possuí-lo" diz Aristófanes sobre o caso de amor entre o *dēmos* grego e o seu favorito Alcibíades (*Ran*. 1425). "Estou apaixonado, não estou apaixonado! Eu estou louco, eu não estou louco!", grita Anacreonte (413 PMG). Alguma coisa paradoxal captura a pessoa que ama. O impedimento aconteceu no ponto de incompatibilidade entre o real e o possível, um ponto cego em que a realidade do que somos desaparece na possibilidade do que poderíamos ser se fôssemos diferentes do que somos. Mas não somos diferentes. Não somos o rei e a rainha da Espanha. Não somos amantes que podem tanto sentir quanto alcançar seus desejos. Não somos poetas que não precisam de metáforas ou símbolos para transmitir nosso significado.

A palavra inglesa "*symbol*"[7] vem da grega *symbolon*, que significa, no mundo antigo, carregar metade do osso de uma articulação [a junta de um tornozelo de carneiro, por exemplo] como maneira de provar sua identidade a alguém que tem a outra metade. Juntas, as duas metades compõem um significado. Uma metáfora é uma espécie de símbolo. Um amante é uma espécie de símbolo. Nas palavras de Aristófanes (n'*O banquete* de Platão):

---

7   Assim como a portuguesa "símbolo". (N.T.)

ἕκαστος οὖν ἡμῶν ἐστιν ἀνθρώπου σύμβολον, ἅτε τετμημένος ὥσπερ αἱ ψῆτται, ἐξ ἑνὸς δύο· ζητεῖ δὴ ἀεὶ τὸ αὑτοῦ ἕκαστος σύμβολον.

Each one of us is but the symbolon of a human being—sliced in half like a flatfish, two instead of one—and each pursues a neverending search for the symbolon of himself.

Cada um de nós é apenas o *symbolon* de um ser humano – cortado ao meio como um peixe-chato, dois em vez de um – e cada um persegue uma busca sem fim pelo *symbolon* de si mesmo. (191d)

Todo amante caçador e faminto é metade de um osso, tenta conquistar um significado que é inseparável de sua ausência. O momento em que entendemos essas coisas — quando vemos o que somos projetado na superfície do que poderíamos ser — é sempre um momento de ruptura e contenção. Amamos e odiamos esse momento. No final das contas, temos que continuar retornando a ele se quisermos manter contato com o possível. Mas isso também implica assisti-lo desaparecer. Só a palavra de um deus não tem começo nem fim. Só o desejo de um deus pode alcançar sem que exista falta. Só o deus paradoxal do desejo, exceção a todas essas regras, é eternamente preenchido com a própria falta.

"Safo criou essa concepção a partir de uma junção e chamou Eros *glukupikron*."[8]

---

8   Assim diz Máximo de Tiro, um sofista e conferencista itinerante do século II d.C. (18.9; Safo LP, fr. 172). (N.A.)

Um novo sentido de romance

> "A Natureza não tem contorno, mas a Imaginação tem."
>
> WILLIAM BLAKE, *CADERNOS*

A imaginação é o núcleo do desejo. Ela atua no centro da metáfora. É essencial para as atividades de leitura e escrita. Na poesia lírica arcaica da Grécia, essas três trajetórias se interseccionaram, talvez fortuitamente, e a imaginação transcreveu no desejo humano um contorno mais bonito (alguns pensam) do que os que vieram antes ou viriam depois. Vimos qual foi a forma que esse contorno assumiu. Ao escrever sobre o desejo, os poetas arcaicos faziam triângulos com suas palavras. Ou, para colocar de maneira menos direta, eles representam situações que deveriam envolver dois fatores (amante, pessoa amada) em termos de três (amante, pessoa amada e o espaço entre eles, da maneira que fosse). Esse contorno é apenas um fetiche da imaginação lírica? Não. Já vimos trágicos, poetas cômicos e epigramáticos preocupados com a doçuramarga do desejo. Descobrimos as raízes dessa noção na Afrodite de Homero. Vimos Platão se debatendo com o problema. Aqui, existe algo essencial sobre eros.

Os poetas líricos captaram o contorno de eros com uma nitidez inesperada e deixaram isso marcado na escrita. A evidência lírica nos levou à questão: "O que quem ama quer do amor?". Mas agora precisamos abordar o assunto de outra perspectiva, pois a natureza da evidência lírica não pode ser separada da sua transcrição, e esse fato permanece um mistério. O que quero dizer é que os poetas líricos apresentam um caso limítrofe, ao viverem como viviam na primeira irrupção de atividade literária posterior ao surgimento do alfabeto, contratados como eram para compor letras para performances orais e públicas, mas também de alguma forma envolvidos no registro escrito desses poemas. São poetas explorando a fronteira entre o procedimento oral e letrado, sondando o que está adiante para ver que tipo de coisa a escrita é, a leitura é, a poesia pode ser. Não é uma posição fácil. Talvez seja por isso que os poemas são tão bons. De qualquer forma, a posição foi ficando mais fácil à medida que a alfabetização se espalhava pelo mundo grego. Novos gêneros de expressão foram desenvolvidos para atender às demandas da alfabetização. Vejamos o mais influente desses gêneros, desenvolvido exclusivamente para o deleite de quem escreve e lê. Vamos sobrepor à pergunta "O que quem ama quer do amor?" as perguntas "O que quem lê quer da leitura? Qual é o desejo de quem escreve?". A resposta são os romances.

"Eu o compus por escrito [*synegrapsa*]", diz o autor grego Cáriton no início de *Quéreas e Calírroe*, o mais antigo exemplo existente do gênero que chamamos de romance. O romance foi desde o início uma literatura escrita, que floresceu no mundo greco-romano por volta do século III a.C., quando a disseminação da alfabetização e o vigoroso comércio de livros criaram um amplo público popular. Nossos termos "novel" e "romance" não refletem um nome antigo do gênero. Cáriton refere-se ao seu trabalho como *erōtika pathēmata*, ou "sofrimentos eróticos": de modo geral, são histórias de amor que exigem que o amor seja doloroso. As histórias são contadas em prosa e seu objetivo aparente é o entretenimento de quem lê.

Conhecemos quatro romances gregos do mundo antigo, também alguns fragmentos e epítomes que datam dos séculos I a.C. ao IV d.C., e vários romances latinos. Os enredos são praticamente os mesmos, são histórias de amor dedicadas a manter as pessoas apaixonadas separadas e infelizes até a última página. Um editor resumiu o gênero da seguinte forma:

> Uma história de amor romântico é o fio no qual se pendura uma sucessão de episódios sentimentais e sensacionalistas; os dois personagens principais se apaixonam logo após a abertura da história ou, em alguns casos, já são casados mas imediatamente separados; o casal é separado várias vezes pelos infortúnios mais improváveis; são mortos de todas as formas possíveis; às vezes são introduzidos casais secundários, cuja trajetória de amor verdadeiro é um pouco mais suave; tanto o herói quanto a heroína inspiram um amor perverso e sem esperança no coração de outras pessoas, que se tornam influências hostis, parecendo às vezes que vão conseguir separar o casal principal para sempre, mas nunca o conseguem, de fato; de vez em quando a narrativa se detém na descrição de um lugar, de uma cena ou de algum objeto natural, mas logo é retomada pelas dolorosas aventuras do casal que se ama; e na última página tudo é esclarecido, os fios complicados da história se desfazem com explicações longas e detalhadas, e o casal feliz se une para sempre com a perspectiva de uma vida longa e próspera.[1]

O interesse principal do romance são as táticas de triangulação. Essas táticas são as mesmas que conhecemos dos poetas arcaicos, agora empregadas prosaicamente e *in extenso*. Os romancistas representam como dilemas de enredo e personagem todas aquelas facetas de contradição e dificuldade erótica que foram trazidas à

---

1 S. Gaselee (org.), *Achilles Tatius: Clitophon and Leucippe*, 1917, p. 411. (N.A.)

tona pela primeira vez na poesia lírica. No enredo, brotam amantes rivais por todo canto. Pretextos para perseguir e lutar também aparecem de página em página. Os obstáculos à união romântica se materializam em variedade incansável. Até os amantes dedicam uma energia considerável para obstruir o próprio desejo – se pais intrometidos, piratas cruéis, médicos desajeitados, ladrões de túmulos obstinados, escravos burros, divindades irracionais e os caprichos do acaso não forem o suficiente. *Aidōs* é o estratagema favorito. Heróis e heroínas românticos operam em uma fronteira vaga e excitante entre pureza e sensualidade. Sempre que a paixão parece estar ao alcance, *aidōs* cai como um véu entre os amantes. Esse *aidōs* é a ética arcaica da "vergonha" reinterpretada agora, em sentido estrito, na castidade. A maquinaria maliciosa da castidade permeia as tramas românticas e exige feitos virtuosos dos amantes, em troca, prolonga a história.

"Castidade afrodisiana" é o nome dado por um crítico a esse tormento prazeroso, pois Afrodite é a divindade encarregada das perversidades do *aidōs* dentro do romance. É ela quem projeta e subverte os triângulos cambiantes da história, é tanto patrona quanto inimiga, inspirando amantes a uma paixão forte o suficiente para resistir a todas as tentações que ela mesma lança contra eles. Os amantes castos tornam Afrodite o objeto de sua devoção e se tornam objeto do seu abuso.

O papel de Afrodite nos romances é ambivalente, para não dizer paradoxal, como é o papel de Eros na poesia arcaica. Em suas *Efesíacas*, Xenofonte de Éfeso nos oferece uma imagem que resume a ambivalência afrodisiana. Ao descrever o quarto nupcial do herói e heroína, Xenofonte detalha o *eikōn* bordado na colcha. O tema é Afrodite, a divindade responsável por juntar os noivos no quarto nupcial. Mas o cenário trabalhado na colcha não é um bom presságio para o casamento. Afrodite não é retratada como a esposa obediente de Hefesto, mas sim como amante de Ares. Ares está todo arrumado para encontrar a amada e Eros o leva pela mão em direção a Afrodite, segurando uma tocha acesa (1.8). A descrição de Xenofonte do *eikōn* seria reconhecida por qualquer leitor grego. Ela evoca uma cena retratada em vários vasos antigos e sem dúvida familiar à vida cotidiana: a cena do cortejo nupcial, em que uma noiva é conduzida pela mão à casa do marido, precedida por tochas acesas. O *eikōn* é uma paródia do ritual padrão de casamento, tanto em conceito quanto em projeto. Já era o casamento.

Ainda assim, o casamento continua sendo o objetivo declarado de todo herói e heroína românticos. Isso cria um desacordo dos dois consigo mesmos e com Afrodite. Mais importante, a intenção de consumar o desejo coloca os amantes em desacordo com o romancista, cujo romance vai acabar a menos que ele possa subverter o objetivo dos amantes. Existe algo de paradoxal nas relações entre um romancista e seus amantes. Como escritor, ele sabe que a história dos amantes precisa acabar e ele quer que a história acabe. Assim, também, como pessoas que leem, sabemos que o romance precisa acabar e queremos que acabe. "Mas ainda não!", diz quem lê ao escritor. "Mas ainda não!", diz quem escreve ao herói e à heroína. "Mas ainda não!", diz a amada ao amante. E, assim, a tentativa de alcance do desejo continua. O que é um paradoxo? Um paradoxo é um tipo de pensar que se estende, mas nunca chega ao fim do próprio pensamento. Toda vez que ele se estende, acontece um deslocamento de distância no meio do raciocínio que impede que a resposta seja compreendida. Considere os famosos paradoxos de Zenão. Eles são argumentos contrários à realidade de alcançar um fim. O corredor de Zenão nunca alcança a linha de chegada no estádio, o Aquiles de Zenão nunca ultrapassa a tartaruga, a flecha de Zenão nunca atinge o alvo (ver

Arist., *Ph.* 239b5-18; 263a4-6). São paradoxos sobre o paradoxo. Cada um contém um ponto em que o raciocínio parece dobrar-se sobre si mesmo e desaparecer, ou pelo menos é o que parece. Cada vez que o raciocínio desaparece, pode começar de novo, e assim a tentativa de alcance continua. Se você é uma pessoa que gosta de raciocinar, vai adorar começar de novo. Por outro lado, o prazer de raciocinar deve implicar certo desejo de chegar a uma conclusão, de modo que seu prazer vai ter uma ponta de desgosto.

Na doçuramarga desse exercício, enxergamos o contorno de eros. Você ama Zenão e odeia Zenão. Você sabe que existe uma artimanha operando nos paradoxos, mas continua voltando a eles. E você continua voltando aos paradoxos não porque gostaria de ver Aquiles ultrapassar a tartaruga, mas porque gosta de tentar entender o que é um paradoxo.

Você gosta de ser colocado naquele ponto cego, e vivaz, onde sua razão consegue enxergar a si mesma — ou quase consegue enxergar a si mesma. Por quê? Já encontramos esse ponto cego antes, ao contemplar *Las meninas* de Velázquez e considerar a ação paradoxal no coração da metáfora. Os romances nos oferecem um acesso mais amplo ao ponto cego, pois sustentam a experiência do paradoxo ao longo de muitas páginas, por meio de muitas artimanhas. Vejamos o que podemos descobrir sobre o ponto cego e sua desejabilidade a partir das artimanhas dos romancistas.

Algo paradoxal

Estudiosos do romance consideram o paradoxo "um princípio do gênero" e notam a frequência com que os romances falam de situações "novas e estranhas" (*kainos*) ou "contrárias à razão" (*paralogos*), ou "impensáveis" (*adokētos*).[1] As técnicas do paradoxo enriquecem as histórias em todos os níveis de enredo, imagética e jogos de palavras. O paradoxo é essencial especialmente para a textura emocional. Isso não surpreende ninguém que tenha familiaridade com os precedentes líricos da ficção erótica: "Eu estou louco! Não estou louco! Estou apaixonado! Não estou apaixonado!", disse Anacreonte no século VI a.C. (413 PMG). "Não sei o que devo fazer. Tenho dois estados de espírito dentro de mim...", disse Safo (LP, fr. 51). Personagens do romance gozam desses momentos de esquizofrenia emocional, quando a personalidade é dividida em duas facções que estão em guerra. Os romancistas expandem esses momentos em prolongados solilóquios da alma, para que uma personagem possa debater consigo mesma o seu próprio dilema erótico, o que acontece em geral de maneira longa e sem propósito. Mas, nos romances, a cisma emocional não é uma propriedade exclusiva de heróis e heroínas. Todos os que

---

1 A. Heiserman, *The Novel before the Novel*, 1977, pp. 77 e 226, n. 4. (N.A.)

observam os destinos do casal, dentro e fora do texto, são programados para responder da mesma maneira.

Tomemos, por exemplo, o final das *Efesíacas* de Xenofonte. Enquanto a heroína Ântia cai nos braços de seu amante, as pessoas da cidade, que estão em volta, são agitadas por "prazer, dor, medo, memória do passado, apreensão em relação ao futuro, tudo misturado em suas almas" (5.13). Assim, também no final das *Etiópicas* de Heliodoro, a união dos amantes é testemunhada por seus concidadãos, em quem:

> ... ὑφ' ἧς καὶ τὰ ἐναντιώτατα πρὸς συμφωνίαν ἡρμόζετο, χαρᾶς καὶ λύπης συμπεπλεγμένων, γέλωτι δακρύων κεραννυμένων, τῶν στυγνοτάτων εἰς ἑορτὴν μεταβαλλομένων

> ... *absolute contrarieties were fitted together as one sound: joy interwoven with grief, tears mixed with laughter, total gloom turning into festive delight....*

> ... as contrariedades absolutas foram unidas como em um único som: alegria entrelaçada com luto, lágrimas misturadas a riso, melancolia total se transformando em deleite festivo... (10.38.4)

No início do romance de Heliodoro, certo personagem chamado Calasíris registra sua reação aos sofrimentos eróticos da heroína:

> ... ἡδονῆς δὲ ἅμα καὶ λύπης ἐνεπλήσθην. καὶ πάθος τι καινότερον ὑπέστην, ὁμοῦ δακρύων καὶ χαίρων

> ... *at the same time I was filled with pleasure and pain: I found myself in quite a novel state of mind [pathos ti kainoteron], weeping and rejoicing simultaneously....*

... eu estava cheio de prazer e dor ao mesmo tempo: me encontrei em um estado mental bastante novo [*pathos ti kainoteron*], chorando e regozijando-me simultaneamente...

(4.9.1)

Como pessoas leitoras, também devemos sentir essa mistura paradoxal de sentimentos, se quem estiver escrevendo o romance também estiver no comando das próprias artimanhas. É o que Cáriton insinua quando se vira para nós, em um momento especialmente brilhante da ação da trama, e exige:

Ποῖος ποιητὴς ἐπὶ σκηνῆς παράδοξον μῦθον οὕτως εἰσήγαγεν; ἔδοξας ἂν ἐν θεάτρῳ παρεῖναι μυρίων παλῶν πλήρει. πάντα ἦν ὁμοῦ· δάκρυα, χαρά, θάμβος, ἔλεος, ἀπιστία, εὐχαί.

What poet ever produced such a paradoxical scenario [paradoxon mython] on the stage? You must have thought you were sitting in the theater filled with a thousand emotions, all at the same time: tears, joy, amazement, pity, disbelief, fervent prayers!

Que poeta, uma vez sequer, produziu um cenário tão paradoxal [*paradoxon mython*] no palco? Você deve ter pensado que estava sentado no teatro sendo preenchido por mil emoções, todas ao mesmo tempo: lágrimas, alegria, espanto, piedade, descrença, orações fervorosas!

(QUÉREAS E CALÍRROE 5.8.2)

O objetivo de quem escreve romances é criar prazer e dor ao mesmo tempo. Devemos nos debruçar sobre esse ponto por um momento. É de alguma importância que, como pessoas leitoras, sejamos levadas, de maneira típica e consistente, a uma reação emocional conflitante, que se aproxima da reação da alma de quem ama dividida pelo desejo. O próprio leitorado determina a distância estética e a obliquidade necessárias para essa reação. As emoções da pessoa leitora partem de uma posição privilegiada de conhecimento. Nós sabemos que a história vai ter um final feliz. Parece que os personagens da história não sabem disso. Desse modo, estamos em um ângulo, em relação ao texto, a partir do qual podemos ver tanto os fatos narrados quanto o que os personagens acreditam ser os fatos do caso: dois níveis de realidade narrativa se sobrepõem, sem convergir, e fornecem a quem está lendo aquele momento de estereoscopia emocional e cognitiva que é também a experiência da pessoa apaixonada que sente desejo.

Vimos Safo construir esse momento estereoscópico no fragmento 31 como um circuito de desejo de três pontos que une ela mesma, sua amada e "o homem que ouve atentamente". A ação verbal de eros no fragmento 31 permite que nossa percepção salte ou mude de um nível de desejo para outro, do real para o possível, sem perder de vista a diferença entre eles. No poema de Safo, o deslocamento da visão é momentâneo, uma vertigem e uma súbita sensação de estar muito próxima do núcleo em que se formam os sentimentos. No romance, essa técnica de deslocamento de distância é assumida como a atitude permanente a partir da qual quem lê vê a ação. Os romances institucionalizam a artimanha de eros. Eles se tornam uma textura narrativa de incongruência sustentada, emocional e cognitiva. Permite que quem está lendo se coloque em relação triangular com os personagens da história e busque no texto os objetos de desejo dos personagens, compartilhando o anseio destes, mas também desvinculado dos objetos de desejo, enxergando a visão da realidade das personagens, mas também seus equívocos. É quase como estar amando.

Minha página faz amor

Alguns exemplos são relevantes. O romancista Longo (século II e III d.C.) prefacia seu *Dáfnis e Cloé* com uma afirmação ousada sobre a tensão triangular que é a estrutura e a razão de ser do romance. Longo decidiu escrever a história, ele nos conta, porque encontrou "uma pintura da história de Eros" que lhe pareceu a coisa mais bonita que já tinha visto. Um desejar (*pothos*) o provocou a "criar na escrita uma imagem rival", assim ele começou a trabalhar no romance. Há três componentes no conceito inicial de Longo. Existe a pintura do ícone Eros, um objeto de beleza ideal (*kalliston*) que transcende toda a beleza real dos bosques e das águas ao seu redor, diz Longo. Existe o ícone verbal, que é o próprio romance, tentando rivalizar ou aproximar a beleza perfeita da pintura a um ato de escrita. E entre o ícone ideal e o ícone rival está a força motriz do desejo (*pothos*) que impele Longo a tentar juntar essas duas imagens heterogêneas na tela da imaginação.

Os dois ícones são como as duas partes da metáfora: uma imagem ou sentido já existente, e uma imagem ou sentido novo, são unidos por um ato de imaginação. Juntos compõem um significado. O esforço imaginativo de Longo, assim como a inovação verbal que chamamos de metáfora, é uma ação erótica, que se estende para além do que é conhecido e presente em direção a algo mais, algo diferente, algo desejado. O significado que Longo compõe não é um ponto fixo, é um significado dinâmico, que ganha vida à medida que o romance muda de plano para plano, de cada um dos triângulos. Algo paradoxal é inerente a essas mudanças e, como pessoas leitoras, somos convidadas a adentrar a experiência, à beira do desejo alheio, presas, cortejadas, trianguladas e alteradas por uma série de marcas em um pedaço de papel. "Minha Página[1] faz amor e entende o amor com emoção", diz Montaigne.[2]

A página de Longo faz amor com quem lê, primeiro e obviamente, atraindo essa pessoa para a emoção doce-amarga dos amantes da história. Mas esse voyeurismo narrativo é superficial. Um ato de amor muito mais impressionante está acontecendo na profundidade, naquele empreendimento metafórico de colocar um ícone contra o outro.

Dáfnis e Cloé é a história de um rapaz e uma moça descobrindo eros. Tudo o que eles fazem e dizem soa simbólico. Todos os amantes acreditam que estão inventando o amor: Dáfnis e Cloé inventam *de fato* o amor. Os dois vivem em um paraíso pastoril, ficam inchados de desejo com os brotos da primavera e, depois de muitos desafios, casam-se, nas últimas páginas, em uma caverna de Eros. São, como um crítico aponta, dois "inocentes emblemáticos vivendo situações emblemáticas passando por um crescimento emblemático dentro do conhecimento erótico".[3]

---

1 Aqui encontramos outro trocadilho da autora. Em inglês, temos *page* [pajem] e *page* [página]. Montaigne usa o primeiro sentido; Carson, sem aviso, usa o segundo sentido, alterando semanticamente a citação do ensaísta francês. (N.T.)
2 M. de Montaigne, *The Essays*, 1603, livro 5, cap. 3. (N.A.)
3 A. Heiserman, op. cit., p. 143. (N.A.)

Aqui está, por exemplo, o que acontece quando Dáfnis consegue o consentimento do pai para se casar com Cloé e sai correndo para contar a novidade. Os amantes encontram-se num pomar rico em árvores frutíferas:

> μία μηλέα τετρύγητο καὶ οὔτε καρπὸν εἶχεν οὔτε φύλλον· γυμνοὶ πάντες ἦσαν οἱ κλάδοι. καὶ ἓν μῆλον ἐπέτετο ἐν αὐτοῖς ἄκροις ἀκρότατον, μέγα καὶ καλὸν καὶ τῶν πολλῶν τὴν εὐωδίαν ἐνίκα μόνον. ἔδεισεν ὁ τρυγῶν ἀνελθεῖν, ἠμέλησε καθελεῖν· τάχα δὲ καὶ ἐφυλάττετο τὸ καλὸν μῆλον ἐρωτικῷ ποιμένι.

> *There stood one apple tree whose apples had all been gathered. It had neither fruit nor leaf. All the boughs were bare. And a single apple floated on the very top of the topmost boughs: big and beautiful and more fragrant in itself than many others. The applepicker was afraid to go up so high, or he overlooked it. And perhaps that beautiful apple was saving itself for a shepherd in love.*

Ali estava uma macieira cujas maçãs foram todas colhidas. Não tinha fruto nem folha. Todos os galhos estavam nus. E uma única maçã flutuava no topo dos ramos mais altos: grande e bonita e mais perfumada do que muitas outras. O apanhador de maçãs estava com medo de subir tão alto, ou ele nem a percebeu ali. E talvez aquela bela maçã estivesse se guardando à espera de um pastor apaixonado.

Dáfnis está ansioso para colher a maçã. Cloé o proíbe. Dáfnis pega a maçã. Para apaziguar Cloé, ele então diz:

> "Ὦ παρθένε, τοῦτο τὸ μῆλον ἔφυσαν Ὧραι καλαὶ καὶ φυτὸν καλὸν ἔθρεψε πεπαίνοντος ἡλίου καὶ ἐτήρησε Τύχη. καὶ οὐκ ἔμελλον

αὐτὸ καταλιπεῖν ὀφθαλμοὺς ἔχων, ἵνα πέσῃ χαμαὶ καὶ ἢ ποίμνιον αὐτὸ πατήσῃ νεμόμενον ἢ ἑρπετὸν φαρμάξῃ συρόμενον ἢ χρόνος δαπανήσῃ κείμενον, βλεπόμενον, ἐπαινούμενον. τοῦτο Ἀφροδίτη κάλλους ἔλαβεν ἆθλον, τοῦτο ἐγὼ σοὶ δίδωμι νικητήριον."

"O maiden, beautiful seasons begot this apple, a beautiful tree nourished it in the ripening sun and fortune kept close watch. Having eyes, I could not let it be—it might have fallen to the ground and been trampled by grazing flocks or poisoned by some creeping creature or used up by Time as it waited there, gazed at, object of praise. This was the prize Aphrodite won for beauty, this I give to you as victory-prize."

"Ó donzela, belas estações geraram essa maçã, uma bela árvore a nutriu sob amadurecimento do sol e a fortuna vigiava de perto. Tendo olhos, eu não podia deixá-la para lá – poderia ter caído no chão e sido pisoteada por rebanhos ou envenenada por alguma criatura rastejante ou consumida pelo Tempo enquanto esperava ali, contemplada, objeto de louvor. Esse foi o prêmio que Afrodite ganhou pela beleza, eu dou a você como prêmio de vitória."

(3.33-34)

Dáfnis joga a maçã no colo de Cloé, ela o beija "e então Dáfnis não se arrependeu nem um pouco de ter ousado subir tão alto".

Dáfnis é um amante que interpreta os motivos literários literalmente. Aqui, ele corteja sua amada com o próprio símbolo do cortejo e encena o alcance paradigmático do desejo. Longo espera que você reconheça a maçã do galho mais alto do poema de Safo (fr. 105a) e leia a ação de Dáfnis como emblemática. Ao mesmo tempo, a maçã é um presente de amor típico, que aparece com recorrência na poesia e nas artes visuais gregas como oferta favorita de quem ama à pessoa amada. A tradição que associa a maçã a Afrodite e ao julgamento de Páris é outra vertente da simbolização erótica, evocada aqui pelo próprio Dáfnis. E pode-se pensar que a maçã representa Cloé como noiva, florescendo na natureza e prestes a ser colhida para o casamento. As atitudes respectivas de amante e amada também são estereotipadas: desejo irreprimível *versus* resistência inflexível. Ele insiste, ela se submete, a maçã é a perdedora. Esses vários níveis de inferência dependem de um fato narrativo essencial: é uma maçã de verdade e ele ganha um beijo de verdade, ou pelo menos é assim que lemos.

O romance de Longo é um tecido contínuo com várias camadas, mantido em uma suspensão rica e transparente em oposição aos fatos da trama, como a maçã que "flutua" na árvore. Olhe mais de perto, por um instante, para essa maçã no texto de Longo. Longo escolheu um verbo um tanto curioso para suspender a maçã da árvore: *epeteto* (3.33) vem de *petomai*, o verbo "voar". Geralmente é usado para criaturas com asas ou para emoções que atravessam o coração. Frequentemente é um verbo que se refere à emoção erótica, ele é usado, por exemplo, por Safo no fragmento 31 para dizer que eros "dá asas ao meu coração" ou "faz meu coração voar". Aqui, Longo coloca o verbo no tempo imperfeito. Ou seja, ele paralisa a ação do verbo no tempo (o imperfeito expressa continuidade) para que, como a flecha no paradoxo de Zenão, a maçã voe enquanto permanece parada. Além disso, a frase na qual a maçã voa é uma frase que flutua em relação paradoxal e paratática com as frases anteriores. A relação é paratática porque o conectivo que une essa frase ao texto é simplesmente "e" (*kai*). A relação é paradoxal porque a afirmação "e uma maçã estava flutuando" é uma contradição em relação às três afirmações anteriores que nos dizem que a árvore foi esvaziada pela colheita, não sobrou nem fruto nem folha, todos os galhos estavam nus. Tradutores de Longo sempre trocam seu "e" por um "mas", de modo que a maçã impertinente de repente salta para dentro da perspectiva gramatical deles, por meio da cláusula adversativa. Mas o objetivo de Longo não é tão banal. A gramática do romancista intercepta sua perspectiva complacente e a divide ao meio. Por um lado, você vê uma árvore vazia, nua. Por outro, uma maçã flutua. "*E*" a relação entre os lados é paradoxal. O "*e*" de Longo coloca você em um ponto cego no qual você vê mais do que está lá, literalmente.

Longo espera muito de quem o lê. A posição de conhecimento privilegiada que você desfruta ao ler *Dáfnis e Cloé* não se baseia simplesmente em acreditar que as coisas vão terminar bem. Longo assume, e joga com toda a história dos *topoi* eróticos e da sagacidade gramatical disponível a um público alfabetizado. Ele quer oferecer uma experiência sólida daquele registro de atividade mental, a metáfora, que mais se aproxima de eros. Pense como o romance faz você se sentir. Enquanto você o lê, a mente muda do nível dos personagens, episódios e pistas para o nível das ideias, soluções, exegese. É uma atividade deliciosa, mas que também causa dor. Cada mudança é acompanhada por uma intensa sensação de que algo está sendo perdido, ou já foi perdido. A exegese desfigura e disturba a assimilação pura na narrativa. A narrativa insiste em distrair sua atenção da exegese. Ainda assim, sua mente não está disposta a abandonar nenhuma das atividades e permanece presa em um ponto de estereoscopia entre as duas. Elas compõem um único significado. O romancista que constrói esse momento de interceptação emocional e cognitiva está fazendo amor, e você é o objeto da conquista. "O livro e o autor eram nosso cafetão!"[4] grita Francesca no inferno, ou pelo menos é assim que lemos no *Inferno* (5.137).

---

4   Aqui, Carson interpreta livremente os versos de Dante. O que Francesca diz é que ela e Paolo, seu cunhado e amante, se apaixonaram ao lerem um romance em voz alta, esse era também o pretexto para os dois se encontrarem. A palavra "pimp" [cafetão], ou algo semelhante, não é usada. Isso mostra a liberdade com que a autora manipula as citações. (N.T.)

Letras, cartas

"Letras" (*grammata*) pode significar "letras do alfabeto" e também "epístolas", cartas, em grego. Os romances contêm letras dos dois tipos e oferecem duas perspectivas diferentes sobre o ponto cego do desejo. No sentido mais amplo, as letras, ou seja, o ardil flutuante do romance como texto escrito, fornecem tensão erótica no nível da experiência de leitura. Existe um circuito triangular que corre entre quem escreve, quem lê e os personagens da história; quando os pontos de circuito se conectam, o difícil prazer do paradoxo pode ser sentido como um tipo de eletricidade. No sentido mais restrito, as cartas ou mensagens escritas funcionam dentro das tramas de vários romances como um subterfúgio erótico entre os personagens. É de se esperar o efeito: triangular, paradoxal, elétrico. Nos muitos cenários epistolares encontrados em romances antigos, as cartas nunca são usadas como uma declaração direta de amor entre quem ama e a pessoa amada. As cartas ficam oblíquas à ação e desdobram uma relação de três pontas: A escreve para C sobre B, ou B lê uma carta de C na presença de A, e assim por diante. Nos romances, quando as cartas são lidas, a consequência imediata é a injeção do paradoxo nas emoções da pessoa apaixonada (prazer e dor ao mesmo tempo) e nas suas estratégias (agora obstruídas por uma presença ausente).

Considere um romance de Aquiles Tácio (III-IV século d.C.) chamado *Leucipe e Clitofonte*. O herói (Clitofonte), que acredita que sua amada (Leucipe) está morta, está prestes a se casar com outra mulher quando recebe uma carta de Leucipe. Ele interrompe o casamento para ler a carta de Leucipe, que traz a amada "diante dos olhos de sua alma" e provoca em seu rosto um rubor profundo de vergonha, "como se ele tivesse sido pego em flagrante adultério" (5.19). Clitofonte imediatamente se senta para escrever uma resposta "ditada pelo próprio Eros". As primeiras linhas da carta traçam nitidamente o circuito de três pontos que conecta amante, amada e *grammata* em ângulos padrão:

"Χαῖρέ μοι. ὦ δέσποινα Λευκίππη. δυστυχῶ μὲν ἐν οἷς εὐτυχῶ, ὅτι σὲ παρὼν παροῦσαν ὡς ἀποδημοῦσαν ὁρῶ διὰ γραμμάτων."

"Hail, my lady Leucippe. I am miserable in the midst of joy because I see you present and at the same time absent in your letter."

"Saudação, minha senhora Leucipe. Sinto-me miserável em meio à alegria porque vejo você presente e ao mesmo tempo ausente em sua carta".

(5.20)

Clitofonte continua a carta proclamando seu amor e suplicando a Leucipe que mantenha seu desejo até que ele possa se unir a ela. As cartas escritas têm a presença e a autoridade de uma terceira pessoa, que é testemunha, juíza e condutora de acusações eróticas. As cartas são o mecanismo do paradoxo erótico, ao mesmo tempo conectivas e separativas, dolorosas e doces. As cartas constroem o espaço do desejo e acendem nele aquelas emoções contraditórias que mantêm o amante alerta em relação ao próprio impasse. As cartas interrompem e complicam uma situação dual ao conjurar uma terceira pessoa que não está literalmente ali. De súbito, tornam visível a diferença entre o que é (a relação erótica presente e atual entre Clitofonte e a outra mulher) e o que poderia ser (o amor ideal de Clitofonte e Leucipe). As cartas projetam o ideal na tela do real. Eros age de dentro das cartas.

Um exemplo mais hierático vem do romance *As etiópicas*, de Heliodoro. Aqui, o texto escrito não é uma carta, mas funciona como se fosse. A heroína de Heliodoro (Caricleia) é a filha de pele branca nascida da rainha negra da Etiópia. A rainha escolhe abandonar a criança recém-nascida em vez de enfrentar as perguntas suspeitas do marido, e assim Caricleia é abandonada, envolta em uma *tainia* (faixa ou lenço de cabeça). Porém, não é uma *tainia* comum: a rainha inscreve o tecido com um texto escrito explicando a história da bebê e sua pele branca. Acontece que a criança é resgatada por sacerdotes e criada em Delfos. Os anos passam e o romance já está no quarto volume antes do romancista nos revelar o texto na *tainia*. A cena da leitura é reservada para um momento de crise erótica: Caricleia está a ponto de morrer de amor por um certo Teágenes quando a *tainia* é lida pelo sacerdote que espera salvar a vida de Caricleia. A rainha da Etiópia fala na *tainia*:

> ... ἐπειδὴ δέ σε λευκὴν ἀπέτεκον, ἀπρόσφυλον Αἰθιόπων χροιὰν ἀπαυγάζουσαν, ἐγὼ μὲν τὴν αἰτίαν ἐγνώριζον, ὅτι μοι παρὰ τὴν ὁμιλίαν τὴν πρὸς τὸν ἄνδρα προσβλέψαι τὴν Ἀνδρομέδαν ἡ γραφὴ παρασχοῦσα, καὶ πανταχόθεν ἐπιδείξασα γυμνήν (ἄρτι γὰρ αὐτὴν ἀπὸ τῶν πετρῶν ὁ Περσεὺς κατῆγεν), ὁμοειδὲς ἐκείνῃ τὸ σπαρὲν οὐκ εὐτυχῶς ἐμόρφωσεν.

> ... when I gave birth to you with your white skin radiant as light—
> an incongruous thing in an Ethiopian—I recognized the reason. You
> see, at the very moment when my husband penetrated me I was star-
> ing at a painting of Andromeda. The painting showed her completely
> naked, just as Perseus was claiming her from the rock. Her likeness
> changed my seed— not luckily.

> ... quando eu pari você com sua pele branca radiante como a luz
> – uma coisa incongruente a um etíope – reconheci o motivo. Veja
> bem, no exato momento em que meu marido me penetrou, eu es-
> tava olhando para uma pintura de Andrômeda. A pintura a mos-
> trava completamente nua, assim como Perseu que a chamava de
> cima da rocha. A aparência de Andrômeda mudou meu óvulo –
> infelizmente.
>
> (4.8.5)

Agora, aqui temos um triângulo interessante. O desejo de Caricleia por Teágenes se desdobra, de frente para trás no tempo, para incluir uma infidelidade estética da mãe. No momento do coito com o marido, a rainha pensava em outra coisa. Sua atenção foi atraída por um outro caso de amor, o eros mítico ou ideal de Perseu e Andrômeda. A rainha triangulou.

Não é um triângulo simples. Heliodoro não é um autor simples. Um crítico bizantino comparou a narrativa de Heliodoro a um amontoado de cobras com caudas expostas e cabeças escondidas.[1] Além disso, Heliodoro nos adverte de antemão que o estilo de escrita da rainha é recôndito, pois ela optou por inscrever a *tainia*

---

[1] M. Pselo in A. Colonna (org.), Heliodori Aethiopica, 1938, p. 364. (N.A.)

... γράμμασιν Αἰθιοπικοῖς, οὐ δημοτικοῖς ἀλλὰ βασιλικοῖς, ἐστιγμένην, ἃ δὴ τοῖς Αἰγυπτίων ἱερατικοῖς καλουμένοις ὠμοίωνται.

... not in the demotic Ethiopian alphabet but in the 'royal' letters [grammasin basilikois] which resemble Egyptian hieratic script.

... não com alfabeto demótico etíope, mas com letras "da realeza" [*grammasin basilikois*] que lembram a escrita hierática egípcia.

(4.8.1)

O roteiro é precioso e o significado é complicado. No entanto, conseguimos reconhecer os componentes familiares de um triângulo erótico. Vemos o rei da Etiópia tentando se unir à sua esposa amada. Ao fazê-lo, um ato de interceptação acontece, um terceiro ângulo se abre. Com um deslocamento de distância, de longe para perto, do ideal para o real, Perseu e Andrômeda interceptam o olhar da rainha e dividem seu desejo. A imaginação dela dá um salto. E enquanto sua imaginação vai do real (marido) ao possível (Perseu e Andrômeda) algo paradoxal acontece: Caricleia.

Caricleia é um paradoxo não só no nível factual (branca filha de pretos), mas também no nível da inferência. Embora, ela como pessoa não tenha comprometido seu amor por Teágenes, ainda assim sua castidade perfeita (da qual a pele branca poderia ter sido considerada um símbolo) agora é vista como colorida (branca), desde antes de seu nascimento, por uma inconstância momentânea na mente da mãe. A brancura é, no caso dela, uma pista para a impureza: o sentido disso está projetado na incongruência, à medida que a história da *tainia* se desenrola. Você contempla esse ponto de congruência incongruente, e as informações do argumento parecem entortar dentro da sua mente. Uma pintura pode mudar uma carne que é de verdade? Uma metáfora pode tornar branca a realidade? É uma história encantadora, mas insatisfatória como exegese, e a mente continua buscando uma resposta. Cada vez que você alcança uma possível resposta, a concepção muda para interceptação: o óvulo preto de Caricleia se junta à pele branca de Andrômeda e desaparece.

Ao ser colocado no ponto cego dessa artimanha, você sente prazer e desgosto. Sua reação mista é ecoada pelo leitor dentro do romance. O sacerdote (Calasíris) que lê a *tainia* na esperança de descobrir como salvar Caricleia registra a própria reação:

> ... ao ler essas coisas, reconheci e fiquei maravilhado com a economia dos deuses e, ao mesmo tempo, fui tomado por prazer e dor: encontrei-me em um estado mental bastante novo, chorando e regozijando-me ao mesmo tempo.
>
> (4.9.1)

Vamos reforçar a importância que Heliodoro deu à leitura e à escrita nessa cena crucial do romance. Pela maneira como ele ordena a narrativa, é um ato de leitura que interrompe e complica a situação erótica (entre Caricleia e Teágenes) ao revelar um terceiro ângulo (a história da concepção de Caricleia). É nesse terceiro ângulo que opera o ardil de eros. O paradoxo é gerado. As emoções se dividem. De dentro de um texto escrito, eros age sobre Calasíris para criar nele o estado de espírito típico de quem lê romances. Dentro desse texto hierático, você busca o significado da pele branca de Caricleia. O significado muda, se transforma, o ilude, mas você continua querendo persegui-lo, como se ele fosse a própria pessoa amada.

Podemos comparar a esses romances gregos um romance latino anônimo do século V ou VI d.C., intitulado *História de Apolônio de Tiro*, que relata o amor de Apolônio pela filha do rei de

Pentápolis. Apolônio planeja conquistar a moça, tornando-se seu tutor, e desvia sua atenção dos pretendentes rivais com o poder sedutor das cartas. Quando ela se apaixona, é pelo que aprende com Apolônio, nos conta o romancista (cap. 17). Os rivais exigem uma audiência, mas o pai da moça os dispensa:

> Rex ait non apto tempore interpellastis. Filia enim mea studio uacat et pro amore studiorum inbecillis iacet.

> Now is not a good time to press your suit, for my daughter is entirely absorbed with learning and is so in love with her studies that she lies ill in bed.

> Agora não é um bom momento para pedidos de casamento, pois minha filha está totalmente absorta no aprender e tão apaixonada pelos estudos que fica doente de cama.

(CAP. 19)

O rei Antíoco então emprega o mecanismo das cartas para armar um triângulo erótico. Ele convida cada pretendente a escrever o nome e dote em uma tabuleta, que ele entregará à filha para que ela escolha entre eles. Apolônio leva a tabuleta até ela e, enquanto ela lê diante dele, o triângulo familiar, formado por amante, amada e rivais-na-escrita, é traçado. Mas essa heroína não é analfabeta. Descontente com a geometria do triângulo que tem diante de si, a filha do rei rearranja os ângulos. Ela escreve o nome de Apolônio na tabuleta e a envia de volta ao pai usando o seu selo (cap. 20-21). Os críticos literários do romance ficam impacientes com essa "farsa de escrever cartas" e fazem perguntas plausíveis como "Por que o rei sugere o procedimento extraordinário e inconveniente de escrever cartas para alguém que está a poucos metros de distância?".[2] As cartas dizem algo que não poderia ser dito de outra forma?

As cartas nesse romance, como no romance de Heliodoro, revelam o próprio poder, um poder de mudar eroticamente a realidade. São as cartas que despertam o fogo do amor na filha do rei quando ela conhece Apolônio. São as cartas que colocam o dilema da presença ausente, para amante e amada, quando a princesa está diante de Apolônio lendo os nomes dos rivais. São as cartas que lhe permitem inverter o triângulo de eros, quando ela age de acordo com a convenção literária e reescreve a cena de amor para atender o próprio desejo. Essa heroína entende tanto a arte erótica das cartas quanto o autor que a escreveu como personagem. Tão emocionada quanto a página de Montaigne, sua página também faz amor.

Existem dois tipos de letras aqui (as do alfabeto e as das cartas) e existem dois tipos de amor em construção (como pessoa que lê, você também está sendo cortejada). Um tipo está dentro do outro. Assim como as letras do alfabeto compõem as cartas dos amantes, também o caso de amor entre Apolônio e a filha do rei compõe a ação sedutora desse romance. Mas a heroína assume o controle da página. Ela comanda as letras dessa carta em particular e constrói para si mesma a história de amor que deseja que o romance conte. Por meio de um deslocamento de distância, ela consegue, de dentro da trama, triangular a trama (inscrevendo o nome de Apolônio entre seus rivais) como se ela mesma fosse a romancista, como se as próprias cartas fossem uma inescapável forma erótica de entendimento.

Quando faz essa mudança, a filha do rei age por um ato de imaginação, saindo do real (a lista de pretendentes nomeados

---

2   B. E. Perry, *The Ancient Romances*, 1967, pp. 306-07. (N.A.)

na tabuleta do pai) para alcançar o possível (o pretendente sem nome ao qual ela prefere). Quando faz essa mudança, ela toma do autor para si o *topos* de escrever cartas, passando de um plano (literal) de contar histórias para um plano diferente. Essa mudança é um ato de impertinência letrista e te encanta. Ao mesmo tempo, você pode achar todo esse procedimento da cena "extraordinário e inconveniente". Mas porque você entende as cartas como um *topos* romanesco, a ação cinética, triangular, deliciosa e perturbadora de eros te atrai. Enquanto escreve o nome do amante na tabuleta, a filha do rei te seduz.

Significados dobráveis

Desde que começaram a ser utilizadas, as técnicas de escrita e leitura eram apreciadas pelos antigos como um aparato de privacidade ou sigilo. Toda comunicação, em certa medida, é pública em uma sociedade sem escrita. Certamente, uma mensagem enviada por arauto e declamada ao ar livre é um comunicado menos privado do que uma carta escrita apenas para os olhos lerem. As primeiras pessoas a lerem e escreverem pareciam bastante conscientes dessa diferença. Existe um enigma antigo, atribuído a Safo, que expressa tal atitude:

> ἔστι φύσις θήλεια βρέφη σῴζουσ' ὑπὸ κόλποις αὐτῆς, ὄντα δ' ἄφωνα βοὴν ἵστησι γεγωνὸν καὶ διὰ πόντιον οἶδμα καὶ ἠπείρου διὰ πάσης οἷς ἐθέλει θνητῶν, τοῖς δ' οὐδὲ παροῦσιν ἀκούειν ἔξεστιν, κωφὴν δ' ἀκοῆς αἴσθησιν ἔχουσιν....
>
> *What creature is it (Sappho asks) that is female in nature and hides in its womb unborn children who, although they are voiceless, speak to people far away?*
>
> Que criatura é essa (pergunta Safo) que tem natureza feminina e esconde em seu útero crianças ainda não nascidas que, embora sem voz, falam com pessoas distantes?

Ela mesma, Safo, soluciona o enigma:

θήλεια μέν νύν ἐστι φύσις ἐπιστολή, βρέφη δ' ἐν αὐτῇ περιφέρει τὰ γράμματα· ἄφωνα δ' ὄντα ταῦτα τοῖς πόρρω λαλεῖ οἷς βούλεθ', ἕτερος δ' ἂν τύχῃ τις πλησίον ἑστὼς ἀναγινώσκοντος, οὐκ ἀκούεται.

The female creature is a letter (epistle). The unborn children are the letters (of the alphabet) it carries. And the letters, although they have no voices, speak to people far away, whomever they wish. But if some other person happens to be standing right beside the one who is reading, he will not hear.

A criatura feminina é uma carta (epístola). As crianças nascituras são as letras (do alfabeto) que a carta carrega. E as letras, embora não tenham voz, falam com pessoas distantes, com quem quiserem. Mas se qualquer outra pessoa estiver ao lado de quem está lendo, não ouvirá.

(ANTÍFANES, *CAF*, FR. 196; ATH. 450C)

As cartas tornam o ausente presente, e fazem isso de uma maneira exclusiva, como se fossem um código privado de quem escreve para quem lê. O poeta Arquíloco aplica a metáfora do código à sua própria poesia, pois, ao enviar um poema a alguém, refere-se a si mesmo como um *skutalē*. Mais conhecido como um método empregado pelos espartanos para enviar despachos, o *skutalē* era uma vara ou bastão enrolado com um rolo de couro. Foi usado como um código, simplesmente dobrava-se o rolo de uma maneira específica, escrevia-se a mensagem nele e, em seguida, enviava-se a tira desenrolada para o receptor, que a enrolava novamente em um bastão semelhante para ler a mensagem.[1] A metáfora de

---

1   L. H. Jeffrey, *The Local Scripts of Archaic Greece*, 1961, p. 57. (N.A.)

Arquíloco entende o ato de comunicação como um conluio íntimo entre quem escreve e quem lê. As duas pessoas compõem um significado entre elas combinando duas metades de um texto. É um significado que não está acessível a outras pessoas.

Uma passagem famosa de *As suplicantes* de Ésquilo também enfatiza as possibilidades criptográficas da escrita. Aqui, o rei Pelasgo, anunciando uma decisão democrática *viva voce*, contrasta a própria declaração direta e pública com o registro furtivo dos textos escritos:

τοιάδε δημόπρακτος ἐκ πόλεως μία
ψῆφος κέκρανται, μήποτ' ἐκδοῦναι βίαι
στόλον γυναικῶν· τῶνδ' ἐφήλωται τορῶς
γόμφος διαμπὰξ ὡς μένειν ἀραρότως.
ταῦτ' οὐ πίναξίν ἐστιν ἐγγεγραμμένα
οὐδ' ἐν πτυχαῖς βύβλων κατεσφραγισμένα,
σαφῆ δ' ἀκούεις ἐξ ἐλευθεροστόμου
γλώσσης.

Such is the decree that issues from the city
by unanimous popular vote....
A bolt has been nailed straight through this,
piercingly,
so it stays fixed.
It has not been written on tablets
nor sealed up in the folds of books,
but you hear it plain from a free-speaking
tongue.

Tal é o decreto que surge da cidade
por unanimidade de votos populares...

> Foi atravessado por um prego o decreto,
> de maneira profunda,
> para que permaneça fixo.
> Não foi escrito em tabuletas
> nem selado nas dobras dos livros,
> mas você o ouve direto de uma língua
> livre.
>
> (942-49)

Palavras escritas, sugere Pelasgo, podem ser dobradas e desaparecer. Somente a palavra falada não é selada, dobrada, oculta ou antidemocrática.

Agora, livros e tabuletas que podiam ser dobrados eram uma realidade no mundo antigo. A superfície de escrita mais comum para cartas e mensagens nos tempos arcaicos e clássicos era o *deltos*, uma tabuleta de madeira ou cera com dobradiças que era dobrada após a inscrição para esconder as palavras escritas. O leitor desdobrava a tabuleta para encontrar ali um significado destinado apenas a ele. Tabuletas de metal também eram usadas para escrever, especialmente por pessoas que consultavam oráculos. Por exemplo, em Dodona, um santuário oracular ativo desde o século VII, arqueólogos descobriram cerca de cento e cinquenta tabuletas com perguntas escritas para o oráculo de Zeus. A grande variedade de caligrafias, soletração e gramática encontradas nas tabuletas indica que cada uma delas foi inscrita pelo próprio inquiridor. As tabuletas são de chumbo. Cada uma é cortada em forma de uma faixa estreita como uma fita, e ao longo do comprimento da faixa estão escritas duas a quatro linhas. Em quase todos os casos, a faixa, após a escrita, foi cuidadosamente dobrada várias vezes para esconder a escrita lá dentro. Essa dobra explica a forma das fitas de chumbo e também o fato de que o pedido escrito nunca era transferido para a parte de trás da faixa.[2] As palavras que você escreve na ficha em Dodona são um segredo entre você e o oráculo de Zeus.

Os textos dobrados e os significados confidenciais eram uma realidade literal para os leitores antigos. Mas existe aqui também uma realidade metafórica. É uma metáfora tão antiga quanto Homero, cuja narração do mito de Belerofonte na *Ilíada* VI é a história mais antiga que temos em grego sobre cartas, leitura e escrita.

---

2   H. W. Parke, *The Oracles of Zeus*, 1967, p. 114. (N.A.)

Belerofonte está bem errado, afinal

Embora inserida em uma genealogia épica, a história de Belerofonte é uma história de triângulos eróticos, matéria ideal para um romance. Não sabemos de onde Homero tirou essa história; ao que parece, ela reflete uma camada de origem lídia extremamente antiga na tradição épica na qual Homero se baseou, e data de uma época muito anterior a dele (supondo que localizemos o autor no século VIII a.C.). Era uma época em que, no mundo Egeu, se conhecia alguma forma de leitura e escrita, ou pelo menos o povo de Lícia, onde a história se passa. Ninguém sabe qual era esse sistema de escrita. O próprio Homero talvez não soubesse. Muitos estudiosos consideram que Homero teria sido analfabeto; em todo caso, ele não demonstra o menor fascínio, enquanto conta sua história de Belerofonte, pelos fenômenos da escrita e da leitura que são cruciais na história. As letras são um motivo literário tão desconsiderado aqui, que a gente fica imaginando o porquê.

Belerofonte era um rapaz presenteado pelos deuses com o dom da beleza (*Il.* 6.156). Exilado de casa por um assassinato, ele se refugia com o rei Proito de Éfira e sem querer desperta o amor no coração de Anteia, esposa de Proito. A amante fica "enlouquecida de desejo" (6.160), o amado permanece insensível: um cenário erótico típico, que extrai de Anteia uma reação erótica típica. Ela triangula. Usando uma história mentirosa, ela incita o marido a ter ciúmes de Belerofonte, para que assim ele decida destruir o jovem, mas não em um confronto direto. Proito cria uma armadilha em que os três ângulos de eros se fecharão sobre Belerofonte quando acionados por um texto mortal. Belerofonte é enviado para a Lícia, para os salões do pai de Anteia, carregando a própria sentença de morte:

> πέμπε δέ μιν Λυκίην δέ, πόρεν δ' ὅ γε σήματα λυγρά
> γράψας ἐν πίνακι πτυκτῷ θυμοφθόρα πολλά,
> δεῖξαι δ' ἠνώγειν ᾧ πενθερῷ ὄφρ' ἀπόλοιτο.

> *and Proitos sent him to Lykia and bestowed on him a*
>   *written text that would kill him* [sēmata lugra]
> *for he wrote many life-destroying things*
>   [thumophtbora] *on a folded tablet*
> *and bid him show it to Anteia's father so that he*
>   *might be destroyed.*

> e Proito o enviou para a Lícia e deu a ele um
>   texto escrito que o mataria [*sēmata lugra*]
> pois escreveu muitas coisas destruidoras-de-vida
>   [*thumophtbora*] em uma tabuleta dobrada
> e pediu-lhe que a mostrasse ao pai de Anteia para que ele
>   fosse destruído.
>
> (6.168-70)

Quais são essas "coisas destruidoras-de-vida" que estão na tabuleta dobrada? A vida a ser destruída é a de Belerofonte, e o destruidor, o pai de Anteia. Muito provavelmente, então, Proito relata ao pai que sua casta filha foi envergonhada pelo mau caráter e estuprador Belerofonte: o triângulo erótico, que começou na imaginação de Anteia, agora adquire o status de fato escrito. (Esse fato é uma mentira, mas todo romance também é; não vamos nos deter nisso.) Uma metáfora, que quase mata Belerofonte, é projetada sobre o fato. A metáfora junta a ação de conquistar a amante e a ação de ler um texto escrito na tela da vida de Belerofonte. Pois ele é duas vezes vítima involuntária dos signos que carrega. Primeiro, sua beleza, dom dos deuses, seduz Anteia, que para ele é uma desconhecida. Depois, na tabuleta dobrada, dada por Proito, está escrita a ordem de sua morte, e ele não a lê. "Coisas destruidoras-de-vida" (*thumophthora*) é o texto que ele carrega, mas a palavra *thumophthora* é ambígua. Na superfície, "coisas destruidoras-de-vida" se refere ao assassinato planejado de Belerofonte, mas o adjetivo também pode comunicar o sentido emocional "de quebrar o coração" (como em *Od.* 4.716) e evocar a beleza sedutora que enlouqueceu Anteia. A conquista inintencional dá início à história de Belerofonte. O escrito não lido vai ser o fim da sua história. Essas possibilidades flutuam exatamente onde Belerofonte não consegue as ver.

Belerofonte é a metáfora viva do ponto cego de eros, carrega no rosto (beleza) e nas mãos (tabuleta) um significado que ele não decodifica. Para ele, o texto permanece dobrado, literal e metaforicamente. Desdobrados, os dois lados do texto compõem um significado, um significado vital, incongruente com o estado atual de Belerofonte (vivo). É um significado que é um verbo e que vai atribuir um novo predicado a Belerofonte (morto). É um significado cujo novo sentido não vai obscurecer inteiramente o sentido anterior, nem a diferença entre eles (pois a morte mantém visível a vida enquanto a torna ausente). O significado é um ponto cego no qual o conhecimento de Belerofonte de sua própria situação desaparece em si mesmo. Se Belerofonte desdobrasse a tabuleta e interceptasse a mensagem que trazia, ele diria (com Aristóteles):

"É, eu estava bem errado, afinal!" Seria um momento de intensa dor. Mas também poderia salvar sua vida. Temos que continuar voltando a esses momentos se quisermos manter contato com o possível.

"Ninguém mais, Belerofonte carregava ele mesmo a carta: de uma maneira por assim dizer trágica, capturado pelas próprias asas", diz Eustácio em seu antigo comentário sobre o texto iliádico. Eustácio está superinterpretando. Homero conta a história de uma maneira nada trágica, pois Belerofonte não é "capturado" na Lícia. Depois de chegar à corte do pai de Anteia, ele entrega a carta condenatória ao rei, e logo começa a desmentir o conteúdo da carta por meio de alguns atos heroicos e, como recompensa, ganha a outra filha do rei como esposa. A tabuleta dobrada não é mencionada novamente. É fácil ver como a história de Belerofonte, contada do ponto de vista de Anteia, por exemplo, poderia ter gerado uma tragédia (ver *Hipólito* de Eurípides). Da mesma maneira, existe material para tecer um romance sobre Belerofonte e sua noiva lícia. A *Ilíada* não conta essas histórias. O herói de Homero é um guerreiro e um vencedor. O amor, para ele, é acidental. Além disso, as tentativas de interpretar esse herói simbolicamente se provaram um fracasso. Belerofonte vence no final por virtude heroica, não porque desdobra a própria metáfora. O interesse principal de Homero não são os quebra-cabeças de inferência e referência que divertem romancistas e poetas que vieram depois; ele tem uma guerra para vencer. Homero também não está interessado na escrita da tabuleta dobrada. Assim como Belerofonte, ele a transmite e ignora. Por que Belerofonte não lê a tabuleta? Ele não tem curiosidade? É analfabeto? Ele acha desonesto romper o selo? Essas mesmas perguntas podem ser feitas a Homero. Qual é a sua relação, como poeta que fala de uma antiga tradição oral, com essa vinheta lícia sobre alfabetos e triângulos amorosos? Ele consegue ler os sinais que está usando?

Não sei como alguém poderia responder a essas perguntas. Um potencial metafórico poderoso parece ter sido fossilizado dentro dessa história tradicional de Belerofonte e o texto fatal, mas, exceto na superinterpretação, esse potencial não pode ser extraído. No entanto, a história oferece matéria para especularmos sobre a alfabetização e seus efeitos em quem escreve e em quem lê. O mito de Belerofonte deriva, como dissemos, de uma época em que a sociedade lícia conhecia alguma forma de escrita. O mito reúne uma série de noções que temos explorado em romances antigos. Por exemplo, é uma história de amor em que eros atua a partir de um texto dobrado; a situação erótica inclui duas partes até que a amante complica as partes de maneira intencional, acrescentando um terceiro ângulo; o mecanismo de complicação é um texto escrito; no momento em que o ângulo do texto escrito entra na história, movem-se elementos da metáfora, inferência, paradoxo e ação imaginativa; esses elementos inserem um ponto cego no centro da história e no centro do herói Belerofonte; vemos várias questões importantes sobre Belerofonte e sobre Homero desaparecerem no ponto cego.

Pode-se aprender alguma coisa com a confluência que se repete, em diferentes gêneros, desses elementos com o fenômeno da alfabetização?

Parece fazer sentido que, quando um autor começa a usar e a pensar sobre a leitura e a escrita, sua imaginação vai sendo treinada por certos paradigmas, sua paisagem mental é iluminada de um ângulo diferente. O romance como gênero evoluiu em adaptação a esse ângulo. Alguma imaginação pré-homérica traçou esse mesmo ângulo nas profundezas da história de Belerofonte. O que nos proporciona um prazer especial e rebelde enquanto lemos. Homero não explora esse prazer, à maneira autoconsciente das pessoas que escrevem romances, mas nossa leitura da sua versão nos aproxima um pouco de uma pergunta que está no cerne da questão.

É uma pergunta a respeito das relações entre quem lê e a leitura. Já recuperamos as famosas palavras de Francesca no *Inferno* de Dante. Outras cenas semelhantes vêm à mente, por exemplo, a da heroína de Púchkin em *Eugênio Oneguin*:

> Tatiana está obcecada por ficção romanesca:
> com que atenção ela agora
> lê um delicioso romance,
> com que vívido encantamento
> bebe a ficção sedutora!
>
> ... suspira, e tendo feito seu
> o êxtase alheio, sua a melancolia alheia,
> ela sussurra em transe, declamado de cor,
> uma carta ao herói amável.

(3:9)

As pessoas leitoras na vida real, e também na ficção, testemunham o fascínio do texto escrito. A romancista Eudora Welty diz sobre sua mãe: "Ela lia Dickens como se pudesse ter fugido com ele".[1] O próprio Dickens não teria ficado desconcertado por provocar tal estado em uma leitora, a julgar por uma carta que escreveu a Maria Beadnell em 1855. Aqui ele fala do seu romance *David Copperfield* para a mulher que inspirou Dora: "Talvez você tenha fechado o livro uma ou duas vezes e pensado: 'Como deve ter me amado aquele menino e com qual vividez

---

[1] E. Welty, op. cit., p. 17. (N.A.)

esse homem se lembra disso!'".² Atravessando Francesca, Tatiana, Maria Beadnell, a mãe de Eudora Welty, uma corrente de eros saltou de uma página escrita. Você mesma já sentiu isso, lendo Montaigne ou Heliodoro ou Safo. Podemos chegar a uma avaliação mais realista desse fenômeno? O que existe de erótico na leitura e na escrita?

---

2 M. Slater, *Dickens and Women*, 1983, p. 66. (N.A.)

Realista

"Agora ninguém me contradiz e o sabor foi embora da minha vida."
RAINHA VITÓRIA, APÓS A MORTE DE ALBERT
"Eros ama o conflito e se deleita com resultados paradoxais."
CÁRITON, *QUÉREAS E CALÍRROE* 1.1

Não é novidade dizer que todo enunciado é erótico em algum sentido, que toda linguagem mostra a estrutura do desejo em algum nível. Já no uso que faz Homero, o mesmo verbo (*mnaomai*) tinha o sentido de "dar atenção, fazer menção" e também o sentido de "cortejar, conquistar, ser um pretendente". Já na época do mito grego antigo, a mesma deusa (*Peithō*) era responsável pela persuasão retórica e pelas artes da sedução. Já na época da metáfora mais antiga, são as "asas" ou a "respiração" que movem as palavras de quem fala para quem ouve, assim como movem eros de quem ama para a pessoa amada. Mas as palavras que são escritas ou lidas focalizam com súbita nitidez os limites das unidades da linguagem e os limites daquelas unidades chamadas "leitor" e "escritor". Uma relação simbólica se move, para a frente e para trás, ao longo dos limites. Assim como as vogais e consoantes de um alfabeto interagem simbolicamente para formar determinada palavra escrita, escritor e leitor juntam duas metades de um mesmo significado, e amante e amada são combinados como duas metades de um único osso. Um conluio íntimo acontece. O significado composto é privado, verdadeiro e faz total sentido, para sempre. Pelo menos idealmente.

Na verdade, tal consumação não é alcançada por quem lê nem por quem escreve nem por quem ama. As palavras que lemos e escrevemos nunca dizem exatamente o que queremos dizer. As pessoas que amamos nunca são exatamente como desejamos que elas sejam. Os dois *symbola* nunca combinam perfeitamente. Eros está no meio.

Tanto a experiência do desejo quanto a experiência da leitura têm algo a nos ensinar sobre os limites. Nos esforçamos para enxergar isso consultando a literatura antiga, lírica e romântica, por causa da exposição que fazem de eros. Vimos como os poetas arcaicos moldam os poemas de amor (em forma de triângulos) e como os romancistas antigos constroem os romances (feito uma sólida experiência do paradoxo). Percebemos, até em Homero, um contorno semelhante, no qual o fenômeno da leitura e da escrita emergem da história de Belerofonte. Especulamos sobre os propósitos de quem escreve (seduzir quem lê?) e finalmente somos levadas a suspeitar que aquilo que quem lê quer da leitura e aquilo que quem ama quer do amor são experiências com formas muito semelhantes. Essa forma, necessariamente, é triangular e encarna uma tentativa de alcançar o desconhecido.

Desejar o conhecimento é a marca da besta: Aristóteles diz que "todos os homens buscam saber" (*Metaph*. A. 1.980a21). À medida que você percebe o limite de si mesmo no momento do desejo, à medida que você percebe os limites das palavras no momento da leitura (ou da escrita), recebe estímulos para ir além dos limites perceptíveis – em direção a outra coisa, alguma coisa ainda não compreendida. A maçã que não foi colhida, a amada que está fora de alcance, o significado ainda não atingido são objetos de conhecimento desejáveis. O trabalho de eros é mantê-los assim. O desconhecido deve permanecer desconhecido ou o romance termina. Da mesma forma que todos os paradoxos são, em certa medida, paradoxos sobre o paradoxo, todo eros é, até certo ponto, desejo *pelo* desejo.

Por isso, artimanhas. O que existe de erótico na leitura (ou escrita) é o jogo da imaginação evocado no espaço entre você e seu objeto de conhecimento. Poetas e romancistas, assim como amantes, dão vida a esse espaço usando metáforas e subterfúgios. Os contornos do espaço são os contornos das coisas que você ama, cujas inconsistências fazem a mente entrar em movimento. E ali está Eros, um realista nervoso dentro desse território sentimental, que age por amor ao paradoxo, ou seja, guarda o objeto amado fora de vista em um mistério, em um ponto cego onde o objeto pode flutuar conhecido e desconhecido, real e possível, próximo e distante, desejado e atraindo você para perto.

Prazer-gelo

> "Não podemos realmente dizer que o tempo 'é' exceto em virtude de sua contínua tendência em não ser."
> AGOSTINHO, *CONFISSÕES* 11.14.17

> "De dentro da sombra o Tempo assiste
> E tosse quando você ia beijar."
> W.H. AUDEN, "UMA NOITE"

O ponto cego de Eros é um paradoxo no tempo e no espaço. Um desejo de trazer o ausente à presença, ou de colapsar o longe e o perto, é também um desejo de encerrar o então no agora. Como amante, você chega a um ponto no tempo chamado "então", momento em que você morderá a tão desejada maçã. Enquanto isso, está ciente de que assim que o "então" sobrevier ao "agora", o momento doce-amargo que você deseja desaparecerá. Você não pode querer que isso aconteça e ainda assim, você quer. Vamos ver como isso funciona.

Abaixo temos um fragmento de uma peça satírica de Sófocles intitulada *Os amantes de Aquiles*. O fragmento é uma descrição do desejo. Ele transforma eros sutilmente, permitindo que diferentes aspectos da sua perversidade venham à tona. No centro do fragmento, existe um prazer frio e original. Ao redor do centro, movem-se círculos de tempo, diferentes tipos de tempo, diferentes dilemas estabelecidos pelo tempo. Perceba que esse poema é uma analogia. Nem o prazer nem os vários tipos de tempo devem ser identificados com eros, mas a maneira como eles se cruzam pode parecer com eros.

τὸ γὰρ νόσημα τοῦτ' ἐφίμερον κακόν·
ἔχοιμ' ἂν αὐτὸ μὴ κακῶς ἀπεικάσαι.

ὅταν πάγου φανέντος αἰθρίου χεροῖν
κρύσταλλον ἁρπάσωσι παῖδες εὐπαγῆ,
τὰ πρῶτ' ἔχουσιν ἡδονὰς ποταινίους·
τέλος δ' ὁ θυμὸς οὔθ' ὅπως ἀφῇ θέλει
οὔτ' ἐν χεροῖν τὸ κτῆμα σύμφορον μένειν.
οὕτω δὲ τοὺς ἐρῶντας αὑτὸς ἵμερος
δρᾶν καὶ τὸ μὴ δρᾶν πολλάκις προίεται.

This disease is an evil bound upon the day.
Here's a comparison—not bad, I think:
when ice gleams in the open air,
children grab.
Ice-crystal in the hands is
at first a pleasure quite novel.
But there comes a point—
you can't put the melting mass down,
you can't keep holding it.
Desire is like that.
Pulling the lover to act and not to act,
again and again, pulling.

Esta doença é um mal atado ao dia.
Aqui vai uma comparação – nada ruim, penso:
quando o gelo brilha ao ar livre,
as crianças o agarram.
Um cristal de gelo na mão,
a princípio, é um prazer bastante novo.
Mas chega um momento –
que você não consegue soltar a massa que derrete,
você não consegue continuar segurando.
O desejo é assim.

Puxa quem ama para agir e não agir,
de novo e de novo, puxa.

(FR. 149 RADT)[1]

Muito permanece não dito nesse poema, como em qualquer outra formulação sobre o desejo, mas talvez você sinta que sabe exatamente o que o poema quis dizer. Nenhuma referência direta é feita, por exemplo, ao desejo como desejável. Aqui o desejo é uma "doença" e um "mal" desde o primeiro verso. Na comparação (versos 2-7), o desejo acaba sendo prazeroso, mas seu prazer é igual a segurar gelo na mão. Um prazer bastante doloroso, pode-se pensar, ainda assim, mais uma vez, nenhuma menção direta é feita à dor do gelo. Aqui o gelo gera um novo tipo de satisfação. A ausência desses atributos previsíveis do gelo e do desejo surpreende, como um passo em falso, mas você escala o poema mesmo assim. E de repente se encontra em uma escada feita por Escher ou Piranesi. Ela vai para dois lugares ao mesmo tempo e parece que você está em ambos os lugares. Como isso acontece?

A princípio, o poema parece uma composição em anel simples, já que toda estrutura é um símile cujo *comparandum* (desejo, ll. 1 e 8) nitidamente circunda o *comparatio* (pegar um punhado de gelo, ll. 2-7). Assim, o desejo forma um anel em torno do pequeno universo das vítimas: o poeta que se esforça para representá-lo,

---

1 Não sem aviso, a primeira linha da tradução parte do texto emendado de Radt (*ephimeron*) em favor da leitura de MS (*ephēmeron*). Desde Arsênio, os códices *ephēmeron* ("atado ao dia") foram alterados para *ephimeron* ("adorável, desejável") por alegações em relação ao sentido: Por que Sófocles começaria sua descrição do desejo ligando-o ao tempo? Eu acredito, e espero mostrar, que isso faz, sim, sentido. *Ephēmeron* é o mal pelo qual devemos começar. (N.A.)

as crianças fascinadas por seu análogo, a pessoa apaixonada presa em sua compulsão. Mas esse universo não forma o círculo externo do poema. Você continua subindo, porque a escada continua espiralando. O desejo no início do poema é o desejo como transitoriedade – é um "mal efêmero" (*ephēmeron kakon*), ligado ao dia que passa por ele. O desejo no final do poema é o desejo como repetição – exercendo sua força "de novo e de novo" (*pollakis*). É assim que o tempo forma um anel em torno do desejo. Então, enquanto olha para baixo, através dos círculos concêntricos do tempo, você vê no coração do poema um pedaço de gelo, derretendo. A semelhança surpreendente do gelo choca sua percepção, deve ser o mesmo choque que as crianças devem sentir nas mãos. O poema coloca você em choque, dentro de uma interface entre dois tipos de tempo, cada um deles espiralando com uma lógica própria ascendente percorrendo a estrutura do poema e a psicologia do desejo. Os dois tempos parecem se encaixar um no outro, mas chega um ponto em que as perspectivas se tornam incompatíveis.

O desejo por gelo é um caso de amor passageiro, acontece de maneira transparente. Mas não é só o tempo físico que o ameaça: aqui o prazer-gelo é uma *novidade*. Um prazer "bastante novo" diz o poeta, usando um adjetivo (*potainious*) que é aplicado por outros poetas a um esquema inovador (Baquílides 16.51), uma forma de tortura original e inesperada (Aesch. PV 102), um barulho bizarro que nunca tinha sido ouvido antes (Aesch. *Sept.* 239). O adjetivo denota algo recente, nunca experimentado, talvez recém-criado. Com esse adjetivo, Sófocles realinha nossa sensibilidade ao gelo e deixa claro que deseja retratar eros, não apenas como uma dificuldade, mas também como um paradoxo. O gelo, como substância física, não pode ser considerado prazeroso *porque* derrete; mas se "derreter" é em si uma metáfora para a caracterização estética da novidade, então um paradoxo começa a entrar em foco. As novidades, por definição, têm vida curta. Se o prazer-gelo consiste, até certo ponto, em novidade, então o gelo precisa derreter para ser desejável.

Assim, enquanto você observa o gelo derreter, sua atenção é distraída por um tipo diferente de cuidado. O gelo pode perder seu interesse mesmo antes de mudar de estado. Seu "prazer" pode deixar de ser "bastante novo" e, assim, deixar de ser prazer. Aqui, de repente, as leis da física, que governam eventos como o derretimento do gelo, são intersectadas por leis psicológicas mais imprecisas que governam nossa escravização humana à novidade de humores e estilos. A novidade é uma questão da mente e das emoções; o derretimento é um fato físico. Cada um é medido em uma escala que chamamos de temporal, embora estejam envolvidos dois tipos diferentes de tempo. Onde o dilema de uma novidade cruza com o dilema de um pedaço de gelo? O que quem ama deveria querer do tempo? Se você descer de costas a escada do dia, vai conseguir fazer a novidade aumentar? Ou vai conseguir congelar o desejo?

Vamos ver as nuances de como Sófocles consegue nos atrair para essas questões. O símile do gelo é um mecanismo delicado e ardiloso. Ele arma uma condição de suspense no centro do poema que atrai nossas mentes e emoções, assim como os sentidos, para dentro do conflito. Nós nos apegamos ao destino físico do gelo que está derretendo; o gelo é, de certa forma, o protagonista do símile, e estamos assistindo-o perecer. Ao mesmo tempo, sentimos preocupação com as mãos das crianças. O gelo é gelado e quanto mais tempo você o segura, mais gelada sua mão fica. Mas essa preocupação nos lembra de outra. Quanto mais tempo você o segura, mais o gelo derrete. Então não seria mais lógico soltá-lo, poupando as mãos e o gelo? Mas justamente o que encanta as crianças é segurar o gelo, porque é uma novidade. É nesse momento que o tempo, escondido na sombra, tosse, como diz Auden. O tempo é tanto a condição do deleitamento quanto a condição do perecimento. O tempo faz a natureza do gelo se encontrar, em uma conjuntura fatal, com a natureza humana, de modo que em um momento crítico o glamour cristalino do gelo e a suscetibilidade humana à novidade se cruzam. Um tipo de tempo (o dos eventos estéticos) cruza outro (o tempo dos eventos físicos) e provoca um deslocamento.

Nosso suspense também tem um lado sensual. A imagem que Sófocles faz do tempo é um pedaço de gelo derretendo. É uma imagem escolhida não apenas pelo potencial dramático e melodramático, mas por sua história. Como pessoas leitoras da poesia lírica grega, reconhecemos aqui um *topos* erótico familiar, pois os poetas com frequência imaginam o desejo como uma sensação de calor e uma ação de derretimento. Eros é tradicionalmente conhecido como "o derretedor de membros" (*lusimelēs*). Um exemplo vívido dessa imagética convencional é um fragmento de Píndaro:

> ἀλλ᾽ ἐγὼ τᾶς ἕκατι κηρὸς ὣς δαχθεὶς ἕλᾳ
> ἱρᾶν μελισσᾶν τάκομαι, εὖτ᾽ ἂν ἴδω
> παίδων νεόγυιον ἐς ἥβαν·

> ... *but I am like wax of sacred bees*
> *like wax as the heat bites in:*
> *I melt whenever I look at the fresh limbs of boys.*

> ... mas sou como cera de abelha sagrada
> como cera quando o calor morde:
> derreto sempre que olho para o frescor dos membros dos rapazes.
> (SNELL-MAEHLER, FR. 123.10-12)

Convencionalmente, como podemos ver em Píndaro, derreter é até certo ponto desejável, o contexto é de um calor delicioso. Sófocles subverte a imagem. Enquanto observamos o gelo do poeta derretendo, todas as nossas reações convencionais à experiência de derretimento do desejo são deslocadas. Como amante convencional, você aprecia a sensação de derretimento, de uma maneira doce-amarga. Como alguém que observa o gelo, seus sentimentos sobre o derreter são diferentes, mais complexos. Você quase consegue colocar esses sentimentos em foco contrastando com a imagem convencional, mas não totalmente. Eros está ali no meio. A ligação de Eros com a imagem convencional do derretimento e, ao mesmo tempo, com essa nova imagem, leva a mente à vertigem.

Sófocles te puxa, da vertigem, de volta ao problema do tempo. O símile do poeta se desdobra como um paradoxo de sensações: a imagem incômoda do gelo quente quase entra em foco. O símile te envolve em uma reação conflitante: para salvar o gelo, você deve congelar o desejo. Você não pode querer isso e, ainda assim, você quer.

Sófocles te puxa, do tempo, de volta ao problema do ponto cego. Nesse poema, o tempo circunda o desejo e o gelo derretendo é uma imagem da forma como o desejo gira dentro do tempo. Ele gira em um eixo de efemeridade: depende do dia (*ephēmeron*), vai se derreter como o dia. Mas os dias se repetem. Ele gira em um eixo de novidade: como uma pessoa apaixonada, você é puxada para dentro da vertigem "de novo e de novo". Você não pode querer isso, e, ainda assim, você quer. É inteiramente novo todas as vezes.

Existem diferentes tipos de conhecimento, demonstrou Heisenberg, que não podem ser mantidos simultaneamente na mente (por exemplo, a posição de uma partícula e sua velocidade). A semelhança do desejo com o gelo, no poema de Sófocles, te puxa para dentro desse conhecimento, essa força parte a visão mental em duas, da mesma forma em que o amante é dividido pelo paradoxo do desejo. O momento de estereoscopia que você vive na escada, enquanto tenta entender esse poema, é uma imitação até que boa dessa divisão erótica. Bastante tempo antes de Heisenberg, Sófocles parece ter reconhecido que não dá para chegar tão longe pensando sobre o tempo ou sobre o desejo. Chega um ponto em que os dilemas surgem, as escadas se invertem: Eros.

Agora e Então

"Sustento infinitamente o discurso da ausência da pessoa amada; de fato, uma situação absurda; o outro está ausente como referente, presente como alocutário. Essa distorção singular gera uma espécie de presente insuportável; estou preso entre dois tempos, o da referência e o da alocução: você foi embora (o que lamento), você está aqui (já que estou me dirigindo a você). Então eu sei o que é o presente, esse tempo difícil: uma porção de pura ansiedade."

ROLAND BARTHES, *FRAGMENTOS DE UM DISCURSO AMOROSO*

A experiência de eros é um estudo das ambiguidades do tempo. Quem ama está sempre esperando. Odeia esperar; ama esperar. Presas entre esses dois sentimentos, as pessoas que amam começam a pensar muito sobre o tempo, e a compreendê-lo muito bem, de uma maneira perversa.

O desejo parece à pessoa apaixonada demolir o tempo no instante em que ele acontece e parece reunir em si todos os outros momentos sem importância. Ainda assim, simultaneamente, quem ama percebe, com mais nitidez do que qualquer outra pessoa, a diferença entre o "agora" de seu desejo e todos os outros momentos chamados de "então" que se alinham antes e depois do desejo. Um desses momentos chamados de "então" contém a pessoa amada. Esse momento chama sua atenção, vertiginosamente, por amor e ódio ao mesmo tempo: podemos sentir alguma coisa parecida como essa vertigem no poema de Sófocles sobre o derretimento do gelo. O verdadeiro desejo de quem ama, como vemos naquele punhado de gelo, é iludir as certezas da física e flutuar nas ambiguidades de um espaço-tempo em que o ausente está presente e o "agora" pode incluir o "então" sem deixar de ser "agora". Desse ponto de vista especial "preso entre dois tempos", como diz Barthes, o amante olha para o "agora" e para o "então" com um olhar calculista e um coração prestes a afundar. Como ele gostaria de controlar o tempo! Mas, em vez disso, é o tempo que o controla.

Ou melhor, Eros usa o tempo para controlar a pessoa que ama. O amante na poesia grega enxerga sua própria sujeição ao tempo com certa candura e um grau de ironia. Ele se vê preso a um vínculo duplo impossível, vítima ao mesmo tempo da novidade e da recorrência. Existe um sinal bastante evidente, em todos os poetas líricos gregos, de que esses autores estavam preocupados com as perversidades do tempo. Consiste em uma única palavra que apresenta, no microcosmo, o dilema temporal de eros. É o advérbio *dēute*. Qualquer pessoa que lê poesia lírica grega fica impressionada com a frequência e a pungência com que esse advérbio é usado. Os poetas do amor preferem esse advérbio a qualquer outra designação de tempo (cf. Álcman fr. 59(a)1; Safo, LP, frs. 1,15, 16, 18; 22.11; 83,4; 99,23; 127; 130,1; Anacreonte, 349,1; 356(a)6; 356(b)1; 358; 371,1; 376,1; 394(b); 400,1; 401,1; 412; 413,1; 428.1 PMG). Qual ponto no tempo *dēute* denota?

O advérbio representa uma "crase" ou "mistura" de duas palavras que foram contraídas em uma por razões eufônicas. A crase é um fenômeno comum em grego, mas a crase neste caso produz um efeito estereoscópico incomum: cada uma das duas palavras que compõem *dēute* tem um ponto de vista diferente no tempo. A interseção das duas cria uma espécie de paradoxo.

Dēute combina a partícula *dē* com o advérbio *aute*. A partícula *dē* significa de maneira vívida e dramática que algo está realmente acontecendo no momento (Denniston 1954, 203, 219, 250). O advérbio *aute* significa "de novo, mais uma vez, outra vez" (LSJ). A partícula *dē* marca uma percepção viva do momento presente:

"Olhe para aquilo agora!". O advérbio *aute* olha além do momento presente para um padrão de ações repetidas que se estendem antes: "Não pela primeira vez!". *Dē* localiza você no tempo e enfatiza essa localização: *agora*. *Aute* intercepta o "agora" e o vincula a uma história de "*entãos*".

Uma palavra complexa como *dēute* pode criar um tom complexo. A própria partícula *dē* atinge uma emoção poderosa e alerta, que pode despertar uma série de tons desde um *pathos* urgente até graus variados de desprezo. Também é perceptível um nível de ironia ou ceticismo (Denniston, 1954, pp. 203-06). Essa é uma palavra que faz os olhos se arregalarem por conta de uma percepção repentina, e depois se estreitarem em compreensão. O advérbio *aute* finaliza esse entendimento, como duas mãos que se unem em aquiescência, junto de um aceno intenso da cabeça: de novo e de novo.

Quando os poetas líricos inserem *dēute* nos poemas de amor, qual é o efeito? Vamos primeiro considerar um exemplo que já conhecemos. Começamos este ensaio com um fragmento de Safo (LP, fr.130):

Ἔρος δηὖτέ μ᾽ ὁ λυσιμέλης δόνει,
γλυκύπικρον ἀμάχανον ὄρπετον

Eros—here it goes again! [dēute]—the limbloosener
whirls me,
sweetbitter, impossible to fight off, creature stealing
up

Eros – aí vem ele de novo! [*dēute*] – o afrouxa-membros me torce,
doce-amargo, impossível de resistir, criatura a roubar

O advérbio intraduzível *dēute* aparece como um suspiro longo e feroz no início do poema, assim que a amante avista o agressor e entende que já é (ah não!) tarde demais (de novo não!) para evitar o desejo. Em outro poema, Safo se dirige a uma amante e diz:

.]. ε.[....].[...κ] ἔλομαι σ.[
. .]. γυλα.[...] ανθι λάβοισα α.[
. .] κτιν, ἄς σε δηὖτε πόθος τ.[
ἀμφιπόταται
τὰν κάλαν· ἀ γὰρ κατάγωγις αὔτᾳ[
ἐπτόαις᾽ ἴδοισαν,

... I bid you take your [lyre] and sing of [Gongyla]
while desire flies round you again now [dēute]
for her dress made you
lose your breath when you saw it...

... Proponho que você pegue sua [lira] e cante [Gôngula]
enquanto o desejo te rodeia voando de novo agora [*dēute*]
pois o vestido dela fez você
perder o fôlego quando o viu...

(LP, FR. 22.9-13).

O poeta espartano Álcman nos dá outro exemplo:

Ἔρως με δηὖτε Κύπριδος Ϝέκατι
γλυκὺς κατείβων καρδίαν ἰαίνει.

> *Eros—yes again!* [dēute]—*for Kyrpris' sake*
> *the sweet one is melting me down,*
> *is making my heart grow warm*

Eros — sim de novo! [*dēute*] —, por causa de Cípris,
o que é doce está me derretendo,
está amornando o meu coração

(FR. 59(A) PMG).

Cada um desses poemas é uma forte evocação do momento presente entrecortado por um eco do passado. A amante que pode se afastar da própria experiência e avaliá-la nesses termos é aquela que aprendeu a ter um certo ponto de vista em relação ao tempo, ampliando o "então" no "agora". Safo é adepta dessa prática, assim como outros poetas líricos do período. A técnica confere aos poemas uma força inusitada, como momentos que são recortes do tempo real. Como as pessoas poetas desenvolveram essa técnica?

Acredito que esses poetas, tão fascinados pelas perversidades do tempo, provavelmente estiveram entre os primeiros gregos a absorver e empregar habilidades de leitura e escrita na composição poética. A alfabetização pode impactar a visão que uma pessoa tem do tempo. Vamos ver como.

Habitualmente descrevemos o tempo com metáforas de passagem. O tempo passa. O tempo é um riacho que flui, uma trilha que se desenrola, uma estrada pela qual caminhamos. Todos os nossos eventos, ações e declarações fazem parte da passagem do tempo. A linguagem, especialmente, está inserida nesse processo em movimento e as palavras que falamos desaparecem quando o tempo passa – "com asas", como diz Homero. "A linguagem, se compreendida em sua verdadeira natureza, é, de maneira constante e a cada momento, transitória".¹ Um ato de fala, portanto, é uma experiência de processo temporal: quando você pronuncia a palavra "transitório", a segunda sílaba não aparece até que a primeira tenha deixado de existir (cf. Agostinho, *Confissões* 11.27). Um ato de leitura e escrita, por outro lado, é uma experiência de aprisionamento temporal e manipulação. Como alguém que escreve ou lê, você está à beira da transitoriedade e ouve, vindo das sombras, o som de uma tosse ambígua. A palavra "transitório" na página encara você de volta, pungente como um pedaço de gelo derretendo. E não passa. No que diz respeito ao tempo, a palavra se destaca em uma relação um tanto quanto perversa, de uma só vez permanente e transitória como é. O domínio dessa relação faz parte do estudo das letras. Dá a quem lê ou escreve um gostinho de como seria controlar o tempo.

Quando você lê ou escreve, parece alcançar aquele controle que quem ama deseja: um ponto de vista vantajoso a partir do qual os dilemas de "agora" e "então" podem ser vistos com distanciamento. Quando o desejo é o assunto de um texto que você está lendo, você pode abri-lo em qualquer lugar e terminar quando quiser. Se Eros é algo escrito em uma página, você pode fechar o livro e se afastar. Ou voltar para o livro e reler as palavras de novo e de novo. Um pedaço de gelo está para sempre derretendo ali. O que está escrito em letras "permanece imóvel e o mesmo" diz o orador do século V Isócrates (*Contra os sofistas* 12). Platão reflete sobre a questão de quem escreve e sua atitude em relação à escrita em *Fedro*. "A escrita tem esse estranho poder", diz ele: as pessoas que aprendem a arte das letras começam a acreditar na própria capacidade de tornar as coisas "claras e fixas" para

---

1 W. von Humboldt, *Gesammelte Werke*, 6 vols, 1848, 6:8. (N.A.)

sempre (*Phdr.* 275c; cf. 277d). Essa pode ser uma crença perigosa. Pois seria um poder extraordinário.

Que diferença esse poder faria para uma pessoa que está apaixonada? O que essa pessoa pediria ao tempo se estivesse no controle? Essas questões são relevantes para nossa investigação de eros, pois, em geral, estamos tentando ver o que a paixão do amor tem a nos ensinar sobre a realidade. E o amor é uma questão de controle. O que significa controlar outro ser humano? Controlar a si mesmo? Perder o controle? Poetas antigos, em suas descrições do desejo, fornecem dados para respostas a essas perguntas. Filósofos vão além da descrição. Se seguirmos essas questões, passando pelos poetas até chegar em Platão, encontraremos, em *Fedro*, uma prescrição do que o amante deve pedir ao amor, ao tempo e ao controle em si. A prescrição é especialmente interessante porque Platão projeta essas questões na preocupação filosófica com a natureza da leitura e da escrita.

Por que ler e escrever preocupam Platão? Sua preocupação parece intimamente ligada a "esse estranho poder" que a escrita tem. A ilusão mora dentro do poder, uma ilusão persuasiva o suficiente para ser preocupante porque é introduzida na alma de quem lê ou escreve por um mecanismo impossível de resistir: Eros. O interlocutor de Sócrates no *Fedro* é um jovem rapaz que se apaixonou por um texto escrito. À medida que Fedro e Sócrates falam desse amor, no decorrer do diálogo, eles revelam um ponto cego onde amantes e letras se cruzam. É um ponto no tempo, e também no espaço, pois Platão formula sua preocupação especificamente à luz de nossa condição mortal no tempo. Se focarmos nesse ponto cego, pode ser que a questão do controle comece a entrar em foco.

Erotikos Logos

"Mais amor feliz! mais feliz, feliz amor!"
JOHN KEATS, "ODE A UMA URNA GREGA"

Fedro está apaixonado por um texto composto pelo sofista Lísias. É um *"logos* erótico" (227c), a versão escrita de um discurso proferido por Lísias sobre o amor. Sua tese é repugnante, de propósito. Lísias argumenta que seria melhor um belo rapaz conceder seus favores a um homem que *não* está apaixonado por ele do que a um homem que está apaixonado por ele, e depois enumera as razões por que um não apaixonado é preferível a um apaixonado como parceiro erótico. Fedro é agitado pelo desejo enquanto contempla as palavras do texto (*epethumei*, 228b) e uma alegria visível toma conta dele ao ler o texto em voz alta para Sócrates (234d). Fedro trata o texto como se fosse seu *paidika* ou rapaz que ama, observa Sócrates (236b) e o usa como ferramenta de sedução, para atrair Sócrates além dos limites da cidade para uma orgia de leituras ao ar livre (230d-e; cf. 234d). A leitura faz com que Sócrates admita que ele próprio é um "amante do *logos*" (*andri philologō*, 236e; cf. *tōn logōn erastou*, 228c). *Eros* e *logos* estão tão juntos no *Fedro* quanto duas metades de um mesmo osso. Vejamos qual é o sentido que está sendo composto.

O desvio

O discurso de Lísias é feito para perturbar o sentimento padrão e deslocar preconceitos sobre o amor. Pretende ser poderoso e subversivo de maneira sedutora. No entanto, é um discurso simples, pois todas as epifanias e o efeito chocante se deve a um único mecanismo: Lísias assume um ponto de vista particular no tempo. É esse ponto de vista temporal que diferencia tudo o que um não amante sente, pensa e faz quando comparado ao que um amante sente, pensa ou faz. É um ponto de vista intolerável para alguém que está apaixonado. Lísias olha para o caso de amor a partir do ponto de vista do término.

Ninguém que está amando acredita de verdade que o amor vai acabar. As pessoas apaixonadas flutuam naquela "porção de pura ansiedade", o presente indicativo do desejo. Elas ficam surpresas quando se apaixonam, e também ficam surpresas quando se desapaixonam. Essa atitude é simplesmente imbecil, na visão de Lísias, e deve ser dispensada por qualquer pessoa que queira fazer uma avaliação realista da experiência erótica. Lísias insiste em um único fato, a natureza invariavelmente transitória do desejo erótico, e desse fato desenvolve sua teoria subversiva de eros.

A relação do desejo com o tempo, então, é o fulcro do argumento de Lísias. Assim que o desejo do amante enfraquecer, prevê Lísias, o amante vai perder o interesse no amado e vai embora, cheio de dor e constrangimento. Ele vai repudiar o relacionamento, se arrepender do investimento que fez nele e se interessar por novas paixões. O amor baseado na paixão física do momento sempre vacila quando a excitação acaba (233a-b). O não amor do não amante, por outro lado, não tendo nenhum compromisso especial com o prazer no presente, pode assumir uma atitude consistentemente atemporal em relação ao objeto de amor e ao caso amoroso. "Agora" e "então" são momentos de igual valor para o não amante. Então ele diz ao rapaz que está cortejando:

> ... πρῶτον μὲν οὐ τὴν παροῦσαν ἡδονὴν θεραπεύων συνέσομαί σοι, ἀλλὰ καὶ τὴν μέλλουσαν ὠφελίαν ἔσεσθαι, οὐχ ὑπ' ἔρωτος ἡττώμενος ἀλλ' ἐμαυτοῦ κρατῶν, οὐδὲ διὰ σμικρὰ ἰσχυρὰν ἔχθραν ἀναιρούμενος ἀλλὰ διὰ μεγάλα βραδέως ὀλίγην ὀργὴν ποιούμενος, τῶν μὲν ἀκουσίων συγγνώμην ἔχων, τὰ δὲ ἑκούσια πειρώμενος ἀποτρέπειν· ταῦτα γάρ ἐστι φιλίας πολὺν χρόνον ἐσομένης τεκμήρια.

> ... *When I spend time with you I shall not primarily be cultivating the pleasure of the moment but, really, the profit coming in the future, since I am not overthrown by desire but in full control of myself.*
> ... *These things are indications of a friendship that will last for a long time.*

> ... Quando eu estiver com você, não estarei cultivando como prioridade o prazer do momento, mas, na realidade, o lucro que virá no futuro, já que não estou dominado pelo desejo, e sim no total controle de mim mesmo.
> ... Essas coisas são indícios de uma amizade que vai durar por muito tempo.

(233B-C)

A consistência dessa perspectiva permite que o não amante acomode a mudança do amado, argumenta Lísias. O não amante não vai ficar chocado quando a aparência física do rapaz mudar com a idade (234b) nem vai se esforçar para impedir que o rapaz mude de outras maneiras, por exemplo, ao procurar por novos amigos, novas ideias ou bens (232b-d). Ele não vai abandonar o relacionamento quando a paixão esfriar nem privar o amado dos benefícios da amizade, mesmo depois que a beleza do rapaz não estiver mais no auge (234b):

> ὡς ἐκείνοις μὲν τότε μεταμέλει ὧν ἂν εὖ ποιήσωσιν, ἐπειδὰν τῆς ἐπιθυμίας παύσωνται· τοῖς δὲ οὐκ ἔστι χρόνος ἐν ᾧ μεταγνῶναι προσήκει.

> For lovers regret their good services as soon as their desire ceases, but there is no time when it is appropriate for nonlovers to regret.

> Pois os amantes se arrependem das coisas boas que ofereceram assim que o desejo acaba, mas não existe um momento apropriado para os não amantes se arrependerem.

(231A)

"Não existe nenhum momento" em que o desejo seja dor para o não amante. Para ele, "agora" e "então" são intercambiáveis: seu caso de amor é uma série de eventos no tempo em que se pode entrar em qualquer ponto ou rearranjar em qualquer ordem sem danos ao todo. O raciocínio de Lísias começa a partir do fim do desejo e seu texto percorre eros de trás para a frente. Ou, como diz Sócrates:

> οὐδὲ ἀπ᾽ ἀρχῆς ἀλλ᾽ ἀπὸ τελευτῆς ἐξ ὑπτίας ἀνάπαλιν διανεῖν ἐπιχειρεῖ τὸν λόγον, καὶ ἄρχεται ἀφ᾽ ὧν πεπαυμένος ἂν ἤδη ὁ ἐραστὴς λέγοι πρὸς τὰ παιδικά.

... he does not begin at the beginning but tries to swim backwards against the current of the logos, starting from the end. He begins with what the lover would say to his boy when the affair was over.

... ele não começa do início, mas tenta nadar de costas contra a corrente do *logos*, começando pelo fim. Ele começa com o que o amante diria ao rapaz quando o caso de amor tivesse terminado.

(264A)

Lísias desvia do dilema de eros com apenas um movimento. É um movimento no tempo: ele simplesmente se recusa a entrar no momento que é "agora" para o homem apaixonado, o momento presente do desejo. Em vez disso, ele se posiciona com segurança dentro de um "então" imaginário e olha para o desejo de um ponto de vista de desapego emocional. Ele conseguiu incluir, na avaliação da situação erótica "agora", todas as probabilidades e implicações da mesma situação erótica "então". Lísias não cria uma imagem estereoscópica desses dois pontos no tempo, distorcendo as percepções como faz Sófocles no poema sobre o derretimento do gelo. O "agora" e o "então" de Lísias não são descontínuos ou incompatíveis um com o outro, e sua convergência não é pictórica ou paradoxal para o não amante: o desejo não está investido em nenhum dos pontos. Tradicionalmente, Eros faz o amante de fato desejar os dois pontos ao mesmo tempo. A teoria erótica de Lísias evita esse problema. É improvável o não amante ficar desesperado olhando para um pedaço de gelo derretendo. Quando esse homem pega o gelo na mão, é com a certeza de que logo vai estar segurando água gelada. Ele até gosta de água gelada. E não tem nenhum apego *especial* pelo gelo.

Essa é a substância do discurso de Lísias. Quando Fedro termina de ler o discurso em voz alta, ele pede a opinião de Sócrates, e Sócrates confessa que está meio insatisfeito com o *logos* como produção retórica (234e). Parece que ele lembra que os mesmos temas foram tratados:

> ... ἤ που Σαπφοῦς τῆς καλῆς ἤ Ἀνακρέοντος τοῦ σοφοῦ ἤ καὶ συγγραφέων τινῶν.

> ... *by the beautiful Sappho, I think, or the wise Anakreon or even by some prose writers....*

> ... pela bela Safo, eu acho, ou pelo sábio Anacreonte ou até por alguns prosadores...

(235c)

Em seguida, se compromete a expor, ele mesmo, uma forma da tese lisiana. A fala de Sócrates admite e reafirma a ênfase de Lísias no fator temporal. Ele concorda com Lísias que uma pergunta muito importante a ser feita, em qualquer avaliação da experiência erótica, é "O que quem ama quer do tempo?". Ele também concorda que o que o amante convencional quer é permanecer no "agora" do desejo a qualquer custo, mesmo a ponto de danificar e deformar radicalmente o amado. Tal amante, diz Sócrates, vai impedir o crescimento do amado em todos os níveis que afastem o rapaz da dependência direta do *erastēs*. Ele vai inibir o desenvolvimento físico normal que acontece ao ar livre, mantendo o rapaz nas sombras e nos cosméticos, longe de tarefas viris (239c-d). O amante vai estabelecer barreiras semelhantes ao desenvolvimento cultural e intelectual do rapaz, para que o *paidika* não fique mais esperto do que ele:

> φθονερὸν δὴ ἀνάγκη εἶναι, καὶ πολλῶν μὲν ἄλλων συνουσιῶν ἀπείργοντα καὶ ὠφελίμων ὅθεν ἂν μάλιστ᾽ ἀνὴρ γίγνοιτο, μεγάλης

αἴτιον εἶναι βλάβης, μεγίστης δὲ τῆς ὅθεν ἂν φρονιμώτατος εἴη· τοῦτο δὲ ἡ θεία φιλοσοφία τυγχάνει ὄν, ἧς ἐραστὴν παιδικὰ ἀνάγκη πόρρωθεν εἴργειν, περίφοβον ὄντα τοῦ καταφρονηθῆναι· τά τε ἄλλα μηχανᾶσθαι ὅπως ἂν ᾖ πάντα ἀγνοῶν καὶ πάντα ἀποβλέπων εἰς τὸν ἐραστήν.

The lover is of necessity jealous and will do great damage to his beloved, restricting him from many advantageous associations which would do most to make a man of him, and especially from that which would bring his intellect to its capacity—that is, divine philosophy. The lover will have to keep his boy far away from philosophy, because of his enormous fear of being despised. And he will contrive to keep him ignorant of everything else as well, so the boy looks to his lover for everything.

O amante é necessariamente ciumento e causará grande dano ao amado, restringindo-o de muitas associações vantajosas que transformariam o rapaz em um homem e, especialmente, elevariam o intelecto à sua capacidade – isto é, a filosofia divina. O amante terá que manter o rapaz longe da filosofia, devido ao enorme medo que tem de ser desprezado. E ele vai se esforçar para mantê-lo ignorante de todo o resto também, para que o rapaz procure o amante para tudo.

(239A-B)

Por fim, esse amante vai desencorajar seu *paidika* de alcançar uma vida adulta na sociedade:

ἔτι τοίνυν ἄγαμον, ἄπαιδα, ἄοικον ὅτι πλεῖστον χρόνον παιδικὰ ἐραστὴς εὔξαιτ' ἂν γενέσθαι, τὸ αὑτοῦ γλυκὺ ὡς πλεῖστον χρόνον καρποῦσθαι ἐπιθυμῶν.

Furthermore the lover would fervently wish his beloved to remain without marriage, child, or household for as long a time as possible, since it is his desire to reap the fruit that is sweet to himself for as long a time as possible.

Além disso, o amante deseja com fervor que o amado permaneça sem casamento, filhos ou família o máximo de tempo possível, pois seu desejo é colher para si o fruto que é doce o máximo de tempo possível.

(240A)

Em suma, o amante nocivo não quer que o rapaz amado cresça. Ele prefere parar o tempo.

Sócrates e Lísias concordam, então, que um *erastēs* do tipo convencional prejudica o amado ao amá-lo. Eles também concordam que o instrumento do dano é a tentativa de controle do tempo. O que esse amante pede ao tempo é o poder de manter o *paidika* no *akmē* da juventude, dentro de um *status quo* atemporal de dependência em relação ao *erastēs*. O que torna o rapaz desejável é sua disposição de estar preso ao tempo dessa maneira. A descrição de Sócrates do rapaz e seu dilema soa um pouco como se o rapaz fosse o pedaço de gelo derretendo no poema de Sófocles:

... οἷος ὢν τῷ μὲν ἥδιστος, ἑαυτῷ δὲ βλαβερώτατος ἂν εἴη.

... as such the boy is most delightful to his lover just where he does most damage to himself.

... como tal, quanto mais dano o rapaz causa a si mesmo mais é encantador para o amante.

(239C)

Dano a quem vive

O tema do diálogo é o dano. Platão está interessado em dois tipos de dano. O primeiro é o dano feito por quem ama em nome do desejo. O segundo é o dano causado pela escrita e leitura em nome da comunicação. Por que ele coloca esses dois lado a lado? Platão parece acreditar que os dois agem sobre a alma de maneira análoga e violam a realidade por causa de equívocos da mesma espécie. A ação de eros prejudica o amado quando o amante assume uma atitude controladora, atitude cuja característica mais marcante é a determinação de congelar o amado no tempo. É fácil perceber uma atitude controladora semelhante disponível a quem lê ou escreve, que vê nos textos escritos a oportunidade de fixar permanentemente palavras fora da corrente do tempo. A observação de Isócrates sobre a invariabilidade imóvel da letra escrita (*Contra os sofistas*, 12) é uma indicação de que essa visão atraía escritores antigos. Sócrates aborda essa visão e seu equívoco na seção final de *Fedro*. Ele também comenta o assunto de maneira indireta ao longo do diálogo, por meio de várias manobras de linguagem e encenação. Primeiramente, vamos ver a avaliação explícita que Sócrates faz do valor da palavra escrita.

Um pouco antes do final de *Fedro*, ele passa de discursos específicos para um questionamento mais geral:

Οὐκοῦν, ὅπερ νῦν προυθέμεθα σκέψασθαι, τὸν λόγον, ὅπῃ καλῶς ἔχει λέγειν τε καὶ γράφειν καὶ ὅπῃ μή, σκεπτέον.

We should then examine the theory [logos] of what makes speaking or writing good, what makes them bad.

Devemos então examinar a teoria [*logos*] do que faz o falar ou o escrever serem coisas boas, e o que faz o falar ou o escrever serem coisas ruins.

(259E)

A comparação entre a palavra falada e a palavra escrita continua, e a escrita é vista principalmente como um dispositivo mnemônico:

πολλῆς ἂν εὐηθείας γέμοι καὶ τῷ ὄντι τὴν Ἄμμωνος μαντείαν ἀγνοοῖ, πλέον τι οἰόμενος εἶναι λόγους γεγραμμένους τοῦ τὸν εἰδότα ὑπομνῆσαι περὶ ὧν ἂν ᾖ τὰ γεγραμμένα.

He would be an extremely simple person who thought written words do anything more than remind someone who knows about the matter of which they are written,

Ele seria uma pessoa extremamente simples se pensasse que as palavras escritas servem para outra coisa além de fazer uma pessoa lembrar de um assunto que ela já conhece,

diz Sócrates (275d). Os técnicos da leitura e da escrita enxergam nas letras um meio para fixar pensamentos e sabedoria de uma maneira permanente, de forma utilizável e reutilizável. Sócrates não acredita que a sabedoria possa ser fixada. Quando as pessoas leem livros, elas derivam

... σοφίας δὲ τοῖς μαθηταῖς δόξαν, οὐκ ἀλήθειαν πορίζεις· πολυήκοοι γάρ σοι γενόμενοι ἄνευ διδαχῆς πολυγνώμονες εἶναι δόξουσιν, ἀγνώμονες ὡς ἐπὶ τὸ πλῆθος ὄντες, καὶ χαλεποὶ συνεῖναι, δοξόσοφοι γεγονότες ἀντὶ σοφῶν."

... the appearance of wisdom, not true wisdom, for they will read many things without instruction and will therefore seem to know many things, when they are for the most part ignorant and hard to get along with, since they are not wise, but only appear wise.

... a aparência de sabedoria, não a verdadeira sabedoria, pois lerão muitas coisas sem instrução e, portanto, parecerão saber muitas coisas, quando na maioria das vezes são pessoas ignorantes e difíceis de conviver, pois não são sábias, apenas parecem ser.

(275B)

Sócrates concebe a sabedoria como algo vivo, uma "palavra viva que respira" (*ton logon zōnta kai empsychon*, 276a), que acontece entre duas pessoas quando elas conversam. A mudança é essencial, não porque a sabedoria muda, mas porque as pessoas mudam, e devem mudar. Em contraste, Sócrates enfatiza a natureza estática da palavra escrita:

Δεινὸν γάρ που, ὦ Φαῖδρε, τοῦτ᾽ ἔχει γραφή, καὶ ὡς ἀληθῶς ὅμοιον ζωγραφίᾳ. καὶ γὰρ τὰ ἐκείνης ἔκγονα ἔστηκε μὲν ὡς ζῶντα, ἐὰν δ᾽ ἀνέρῃ τι, σεμνῶς πάνυ σιγᾷ· ταὐτὸν δὲ καὶ οἱ λόγοι· δόξαις μὲν ἂν ὥς τι φρονοῦντας αὐτοὺς λέγειν, ἐὰν δέ τι ἔρῃ τῶν λεγομένων βουλόμενος μαθεῖν, ἕν τι σημαίνει μόνον ταὐτὸν ἀεί.

Writing, Phaedrus, has this strange power, quite like painting in fact; for the creatures in paintings stand there like living beings, yet if you ask them anything they maintain a solemn silence. It is the same with written words. You might imagine they speak as if they were actually thinking something but if you want to find out about what they are saying and question them, they keep on giving the one same message eternally.

A escrita, Fedro, tem esse poder estranho, de fato muito parecido com a pintura; pois as criaturas nas pinturas permanecem ali como seres vivos, mas se você lhes perguntar alguma coisa, elas mantêm um silêncio solene. O mesmo acontece com as palavras escritas. Você pode imaginar que elas falam como se realmente estivessem ali pensando, mas se você quiser descobrir o que elas estão dizendo e questioná-las, elas continuam oferecendo a mesma mensagem eternamente.

(275D-E)

Como a pintura, a palavra escrita fixa os seres vivos no tempo e no espaço, dando-lhes a aparência de serem animados, embora sejam apartados da vida e incapazes de mudança. *Logos* na forma falada é um processo de pensamento vivo, mutável e único. Acontece uma vez só e é irrecuperável. O *logos* escrito, por um escritor que tem habilidade, vai se aproximar desse organismo vivo na ordenação e inter-relação necessária das partes:

ὥσπερ ζῷον συνεστάναι σῶμά τι ἔχοντα αὐτόν αὑτοῦ, ὥστε μήτε ἀκέφαλον εἶναι μήτε ἄπουν, ἀλλὰ μέσα τε ἔχειν καὶ ἄκρα, πρέποντα ἀλλήλοις καὶ τῷ ὅλῳ γεγραμμένα.

organized like a live creature with a body of its own, not headless or footless but with middle and end fitted to one another and to the whole.

organizado como uma criatura viva com um corpo próprio, não sem cabeça ou sem pés, mas com meio e fim ligados um ao outro e ao todo.

(264c)

O *logos* de um escritor ruim, Lísias, por exemplo, nem sequer tenta criar essa aparência de vida, mas joga as palavras juntas sem ordem nenhuma, começando talvez do ponto em que deveria terminar e ignorando totalmente a sequência orgânica. Você pode entrar nesse *logos* a qualquer momento e vai encontrar ele dizendo a mesma coisa. Uma vez escrito, ele continua a dizer a mesma coisa de novo e de novo para sempre dentro de si mesmo, de novo e de novo para sempre no tempo. Como comunicação, um texto assim é letra morta.

Midas

Sócrates reforça seu argumento sobre a escrita ruim de Lísias com uma analogia do túmulo. "É muito parecido com a inscrição do túmulo de Midas, o frígio", diz ele sobre o discurso de Lísias, e continua citando a inscrição:

> Χαλκῆ παρθένος εἰμί, Μίδα δ' ἐπὶ σήματι κεῖμαι.
> ὄφρ' ἂν ὕδωρ τε νάῃ καὶ δένδρεα μακρὰ τεθήλῃ,
> αὐτοῦ τῇδε μένουσα πολυκλαύτου ἐπὶ τύμβου,
> ἀγγελέω παριοῦσι Μίδας ὅτι τῇδε τέθαπται.

> *Bronze maiden am I and on Midas' mound I lie.*
> *As long as water flows and tall trees bloom,*
> *Right here fixed fast on the tearful tomb,*
> *I shall announce to all who pass near: Midas is dead*
>   *and buried here!*

> Donzela de bronze sou eu e no monte de Midas me deito.
> Enquanto a água fluir e as altas árvores florescerem,
> Bem aqui, fixa no túmulo de lágrimas,
> Anunciarei a todos que passarem perto: Midas está morto
>   e enterrado aqui!

A analogia é inventiva em vários níveis, pois a inscrição sintetiza tanto na forma quanto no conteúdo tudo o que Sócrates diz que devemos desconfiar da palavra escrita, e também faz uma sátira específica sobre Lísias. A inscrição é um epitáfio: é um anúncio de uma morte e um desafio ao tempo. Ela promete afirmar um único fato imutável de uma única forma imutável para sempre: Midas está morto. A voz da inscrição é a de uma moça, jovem para sempre, e orgulhosa por poder desafiar o mundo do tempo, das mudanças e fenômenos vivos que passam diante dela. Na companhia de Midas, ela se mantém afastada: ele na morte, ela nas letras.

Além disso, Sócrates revela uma característica de sua composição que faz esse epitáfio ser diferente. Cada verso é independente dos outros em sentido e em métrica, de modo que o poema produz o mesmo significado independente da ordem em que for lido:

ὅτι δ' οὐδὲν διαφέρει αὐτοῦ πρῶτον ἢ ὕστατόν τι λέγεσθαι,
ἐννοεῖς που, ὡς ἐγῷμαι.

I suppose you notice (Sokrates says to Phaedrus) that it makes
no difference which line is read first or which read last.

Acredito que você percebeu (Sócrates diz a Fedro) que
não faz diferença qual verso é lido primeiro ou qual é lido por
último.

(264E)

Esse detalhe torna a inscrição uma ridicularização feita especificamente a Lísias. É bastante óbvio que um poema de versos intercambiáveis pode ser comparado com um discurso que começa onde deve terminar e não segue nenhuma ordem convincente ao longo da exposição. Mas vamos focar nossa atenção, por meio dessa comparação textual, na analogia da vida real para a qual a comparação aponta. A inscrição de Midas compartilha detalhes importantes com a teoria do amor que Lísias expõe em seu discurso.

Assim como o não amante de Lísias, as palavras da inscrição permanecem distantes do tempo e declaram sua diferença em relação ao mundo dos seres efêmeros. O não amante reivindica nessa diferença uma superioridade moral sobre o amante. Ele conquista essa diferença desviando do momento que é "agora" para o homem apaixonado, ou seja, o momento do desejo quando o amante perde o autocontrole. O não amante, assim como as palavras no túmulo de Midas, se projeta para o futuro. Ele permanece fora do tempo do desejo e fora das emoções do desejo e assim considera iguais e intercambiáveis todos os momentos do caso de amor. Nem a teoria erótica nem o discurso de Lísias reconhecem qualquer necessidade de ordenação das partes no tempo. O mesmo acontece com as palavras no túmulo de Midas que transcendem a ordem temporal, tanto em forma quanto em conteúdo. Imutáveis, as palavras prometem ao leitor, assim como Lísias promete ao rapaz que ama, uma consistência inalterável diante das transformações do tempo.

Agora considere o próprio Midas. Como um símbolo mitológico, Midas merece nossa atenção ainda que passageira, já que a declaração feita pelo túmulo repete o erro central e desfigurante que foi a sua vida. Talvez quem ama possa aprender alguma coisa com esse erro.

Na visão antiga, Midas é um caso paradoxal. Ele é usado por Aristóteles, por exemplo, para retratar o absurdo do querer em meio à riqueza:

καίτοι ἄτοπον τοιοῦτον εἶναι πλοῦτον οὗ εὐπορῶν λιμῷ ἀπολεῖται, καθάπερ καὶ τὸν Μίδαν ἐκεῖνον μυθολογοῦσι διὰ τὴν ἀπληστίαν τῆς εὐχῆς πάντων αὐτῷ γιγνομένων τῶν παρατιθεμένων χρυσῶν.

It is an absurd thing [atopon] for wealth to be of such a kind that a man who is rich with it dies of starvation, like the mythological Midas: by reason of the insatiability of his prayer, everything set before him became gold.

É uma coisa absurda [*atopon*] que a riqueza seja de tal maneira que um homem rico, mesmo com ela, morra de fome, como o mitológico Midas: por causa do seu pedido insaciável, tudo o que lhe foi apresentado se transformou em ouro.

(POL. 1.3.1257B)

Midas é a imagem da pessoa paralisada dentro do próprio desejo, desejando tocar e não tocar ao mesmo tempo, como as crianças do poema de Sófocles com as mãos cheias de gelo. O desejo perfeito é o impasse perfeito. O que quem deseja quer do desejo? Francamente, quem deseja quer continuar desejando.

O toque dourado de Midas seria um símbolo poderoso do desejo perfeito, autoextinguível e autoperpetuador. Como tal, Midas se parece com o mau amante que Sócrates e Lísias denunciam nos seus discursos, pois o toque de Midas tem um efeito devastador nas coisas que ele ama. Elas se transformam em ouro. Elas param no tempo. Assim, também o mau amante se esforça para fixar o organismo vivo do *paidika* em um momento de ouro, ou seja, no *akmē* do desabrochar juvenil, para que o amado possa ser desfrutado pelo máximo de tempo possível. O toque de Midas paralisa o tempo para o amante também, permitindo que ele congele sua vida emocional no ponto alto do desejo.

Platão não faz nenhuma conexão explícita entre Midas e o amante que quer parar o tempo; no entanto, podemos aqui citar Midas, em parte para evocar o toque de Midas como uma imagem de desejo. É uma imagem importante porque ajuda a focalizar o ponto central que está em questão entre as teorias de Sócrates e Lísias sobre eros. As duas teorias concordam que o desejo puxa o desejante para dentro de relações paradoxais com o tempo. Ambas teorias observam que o *erastēs* convencional reage a esse problema usando certas táticas que tentam bloquear os fluxos naturais de desenvolvimento físico e pessoal que movimentam o amado durante a vida. Sócrates e Lísias concordam que essas táticas são prejudiciais e discordam em relação a quais táticas são preferíveis. Lísias recomenda, por meio da história do não amante, que a melhor coisa a fazer é simplesmente sair do tempo. O "agora" é o momento do problema, portanto imagine-se no "então" e evite o problema. Sócrates se refere a essa tática como "nadar contra a corrente de costas" (264a) e a compara ao *jeu d'esprit*[1] do túmulo de Midas. Mas suas objeções são mais do que retóricas, e ele julga a atitude de Lísias como um crime contra eros (242e). No resto do diálogo, encontramos o que isso significa: uma teoria lisiana do amor viola os fluxos naturais de mudança física e espiritual que constituem nossa condição humana no tempo. O que acontece quando você opta por se abstrair do tempo? Platão nos mostra três imagens diferentes como resposta.

O próprio Midas é uma imagem. Tanto no túmulo, quanto na vida, Midas não pode participar do mundo de fenômenos em

---

1 "Expressão francesa (literalmente, 'jogo de espírito', sobretudo em contextos musicais) que pode ser entendida como artifício retórico que joga com palavras para obter um sentido humorístico, crítico ou didáctico", conforme o *E-Dicionário de Termos Literários de Carlos Ceia*. (N.T.)

transformação que o cerca. Seus problemas na vida começam com uma ganância insaciável e terminam na morte pelo querer, um paradoxo com semelhanças significativas em relação ao desejo erótico. Mas a vida de Midas e suas implicações continuam sendo uma parte implícita do tratamento de Platão, por isso talvez não possamos esgotá-la. Precisamos nos concentrar em outra categoria de criaturas que aparecem no diálogo e que compartilham as principais questões do dilema de Midas, bem como a atitude do dilema em relação ao querer.

Cigarras

As cigarras também passam a vida inteira morrendo de fome em busca do desejo. Esses insetos entram no diálogo de forma tangencial, enquanto Sócrates vai de um tópico a outro da conversa e percebe as cigarras cantando nos galhos mais altos das árvores. Ele as mostra para Fedro:

> ... καὶ ἅμα μοι δοκοῦσιν ὡς ἐν τῷ πνίγει ὑπὲρ κεφαλῆς ἡμῶν οἱ τέττιγες ᾄδοντες καὶ ἀλλήλοις διαλεγόμενοι καθορᾶν καὶ ἡμᾶς.

> ... and the cicadas appear to be staring down at us, singing away in the heat over our heads and chatting with one another....

> ... e as cigarras parecem estar nos encarando, cantando sem parar no calor acima das nossas cabeças e conversando umas com as outras...
>
> (258E-259A)

Fedro está curioso com as cigarras, por isso Sócrates apresenta uma história da sabedoria tradicional:

> λέγεται δ᾽ ὥς ποτ᾽ ἦσαν οὗτοι ἄνθρωποι τῶν πρὶν Μούσας γεγονέναι, γενομένων δὲ Μουσῶν καὶ φανείσης ᾠδῆς οὕτως ἄρα τινὲς τῶν

τότε ἐξεπλάγησαν ὑφ' ἡδονῆς, ὥστε ᾄδοντες ἠμέλησαν σίτων τε καὶ ποτῶν, καὶ ἔλαθον τελευτήσαντες αὑτούς· ἐξ ὧν τὸ τεττίγων γένος μετ' ἐκεῖνο φύεται, γέρας τοῦτο παρὰ Μουσῶν λαβόν, μηδὲν τροφῆς δεῖσθαι γενόμενον, ἀλλ' ἄσιτόν τε καὶ ἄποτον εὐθὺς ᾄδειν, ἕως ἂν τελευτήσῃ....

Once upon a time, the story goes, cicadas were human beings, before the birth of the Muses. When the Muses were born and song came into being, some of these creatures were so struck by the pleasure of it that they sang and sang, forgot to eat and drink, and died before they knew it. From them the race of cicadas arose, and they have this special privilege from the Muses: from the time they are born they need no nourishment, they just sing continually without eating or drinking until they die....

Era uma vez, a história conta, um tempo em que as cigarras eram seres humanos, antes do nascimento das Musas. Quando as Musas nasceram, e o canto surgiu, algumas dessas criaturas ficaram tão impressionadas pelo prazer de cantar que cantaram e cantaram, se esqueceram de comer e beber e morreram sem perceber. Dessas criaturas surgiu a raça das cigarras, e elas têm um privilégio especial dado pelas Musas: desde que nascem não precisam se alimentar, apenas cantam continuamente sem comer ou beber até morrerem.

(259B-C)

Assim como Midas, as cigarras podem ser lidas como uma imagem do dilema erótico fundamental. Elas são criaturas lançadas, pelos próprios desejos, para dentro de um confronto com o tempo. Elas encenam uma versão mais nobre do dilema quando comparadas a Midas, pois sua paixão é musical, e também oferecem uma nova solução para o paradoxo do "agora" e do "então" vivido por quem ama. As cigarras simplesmente entram no "agora" do desejo e permanecem lá. Abstraídas dos processos da vida, alheias ao tempo, elas sustentam o presente indicativo do prazer desde o momento em que nascem até que, como diz Sócrates, "escapam-se a si mesmas sem perceber, morrendo" (*elathon teleutēsantes hautous*, 259c). As cigarras não têm vida separada do desejo, e quando o desejo morre, elas também morrem.

Essa é uma alternativa às táticas do não amante de Lísias. O não amante desvia das transições dolorosas entre o "agora" e o "então" ao permanecer para sempre no fim do desejo. Ele sacrifica o prazer intenso e transitório do "agora" do amante em troca de um "então" prolongado de emoções consistentes e comportamentos previsíveis. As cigarras escolhem o sacrifício oposto, investem a vida inteira no prazer momentâneo do "agora". A passagem do tempo e suas transições não as afetam. Elas estão paralisadas em uma morte viva de prazer.

Ao contrário de Midas, as cigarras são felizes na escolha de vida-como-morte. Ainda assim, são cigarras. Ou seja, são criaturas que já foram humanas, mas que preferiram recusar o status humano porque descobriram que a condição humana é incompatível com seu desejo por prazer. A única atividade da vida dessas criaturas é perseguir o desejo. Não é uma escolha disponível aos seres humanos nem a qualquer organismo que se comprometa a viver no tempo. Os organismos, atacados pelo desejo, no entanto, tendem a desprezar esse compromisso com o tempo, como já vimos. Platão nos mostra mais uma imagem do que acontece quando eles fazem isso.

Jardinagem por diversão e lucro

É uma imagem de jardins (276b-77a). Amantes, escritores e cigarras não são os únicos que se encontram em desacordo com o tempo. Os jardineiros também, em certas ocasiões, querem fugir, manipular e desafiar as condições temporais. As ocasiões são festivas e, de acordo com Sócrates, em tais momentos os jardineiros ficam divertidos, e a jardinagem não segue regras sérias. Platão introduz o tema dos jardins a fim de fazer um comentário sobre a arte de escrever, cuja seriedade ele deseja questionar. Vamos considerar primeiro o jogo da jardinagem e depois o jogo da escrita. Platão coloca os jogos em intersecção erótica nos chamados "jardins de Adônis".

Os jardins de Adônis eram um aspecto da prática religiosa ateniense no século V. Durante os rituais anuais em homenagem a Adônis, sementes de trigo, cevada e erva-doce eram semeadas em pequenos vasos e forçadas a crescerem rápido, mesmo que fora de época, para serem desfrutadas durante os oito dias do festival. Essas plantas não tinham raízes. Elas floresciam brevemente, murchavam quase de uma vez e depois eram jogadas fora no dia seguinte ao festival. As existências frenéticas das plantas serviam para refletir a vida do próprio Adônis, colhido no florescer da juventude pela deusa Afrodite, morto no auge como consequência (Diógenes Laércio 1.14; Gow 1952, 2:295). Essa é a rápida e bela carreira do amado ideal.

Sócrates cita os jardins de Adônis como uma analogia para a palavra escrita, sedutora e efêmera como é, uma simulação do discurso vivo. No meio da avaliação que faz da escrita, ele se vira para Fedro e pergunta:

τόδε δή μοι εἰπέ· ὁ νοῦν ἔχων γεωργός, ὧν σπερμάτων κήδοιτο καὶ ἔγκαρπα βούλοιτο γενέσθαι, πότερα σπονδῇ ἂν θέρους εἰς Ἀδώνιδος κήπους ἀρῶν χαίροι θεωρῶν καλοὺς ἐν ἡμέραισιν ὀκτὼ γιγνομένους, ἢ ταῦτα μὲν δὴ παιδιᾶς τε καὶ ἑορτῆς χάριν δρῴη ἄν, ὅτε καὶ ποιοῖ· ἐφ᾽ οἷς δὲ ἐσπούδακεν, τῇ γεωργικῇ χρώμενος ἂν τέχνῃ, σπείρας εἰς τὸ προσῆκον, ἀγαπῴη ἂν ἐν ὀγδόῳ μηνὶ ὅσα ἔσπειρεν τέλος λαβόντα;

Now tell me this. Do you think a sensible gardener, who cared for his seeds and wished to see them bear fruit, would plant them with serious intention in gardens of Adonis at high summer and take pleasure in watching them grow beautiful in a space of eight days? Or would he do that sort of thing, when he did it at all, only for fun or a festival? And, when he was serious, would he not apply his skill as a gardener and sow in fitting soil and be gratified when the seeds he had sown came to full bloom in the eighth month?

Agora me diz uma coisa. Você acha que um jardineiro sensato, que cuidava de suas sementes e desejava vê-las dar frutos, plantaria as sementes com sérias intenções nos jardins de Adônis durante o verão e teria prazer em vê-las crescer belas em um espaço de oito dias? Ou será que ele faria esse tipo de coisa, se realmente a fizesse, apenas por diversão ou por conta de um festival? E, se tivesse sérias intenções, ele não usaria sua habilidade como jardineiro para semear um solo apropriado e ser gratificado quando as sementes que havia semeado chegassem ao pleno florescimento no oitavo mês?

(276B)

Nenhum jardineiro sério, que tivesse realmente a intenção de cultivar plantas, se envolveria com a agricultura apressada e cosmética dos jardins de Adônis – Sócrates e Fedro concordam. Pelo mesmo motivo, nenhum pensador sério em relação a comunicar pensamentos escolheria "semeá-los em tinta com uma haste de junco" (276c). Os jardins de letras, assim como os jardins de Adônis, são semeados por diversão (276d). Os pensamentos sérios precisam de um cultivo diferente e tempo para crescer; plantados como sementes da fala viva no solo de uma alma apropriada, os pensamentos vão criar raízes, amadurecer e frutificar conhecimento na estação adequada (276e-277a). A essa altura do diálogo, Sócrates apresenta a Fedro sua crença de maneira sincera e enfática: o verdadeiro lugar dos pensamentos e conhecimentos sérios é na conversa filosófica, não nos jogos de leitura e escrita.

Assim como a analogia do túmulo de Midas, a analogia de Platão dos jardins fala especificamente contra o *logos* de Lísias, que tem um estilo inorgânico de retórica que lhe é peculiar, e também, de maneira geral, contra o cultivo das letras como substituto para a dialética. Os jardins chamam nossa atenção, de forma ainda mais contundente do que a inscrição de Midas, para o fator tempo, que está no centro da preocupação de Platão com a leitura e a escrita. Os textos escritos viabilizam a noção de que se *sabe* o que simplesmente se *leu*. Para Platão, essa noção é uma ilusão perigosa; ele acredita que a busca pelo conhecimento é um processo necessariamente vivido no espaço e no tempo. As tentativas de abreviar o processo, ou empacotá-lo para poder reutilizá-lo quando for conveniente, como acontece na forma de um tratado escrito, são uma negação do nosso compromisso com o tempo e não podem ser levadas a sério. As plantas sem raízes que florescem durante oito dias são uma imagem desta *sophia* de fácil acesso. Ao mesmo tempo, a agricultura urgente de Adônis nos lembra o *logos* erótico de Lísias, que começa por onde deveria terminar e alcança seus propósitos retóricos e conceituais usando um atalho violento que atravessa as etapas iniciais do amor. A intersecção entre escritores e jardineiros na analogia de Platão, então, se dá pelo desejo que eles têm de controlar o tempo. Mas vamos olhar mais de perto para a analogia. Existe um terceiro ângulo aqui e, como acontece com o mito de Midas, ele se desdobra em uma imagem do dano que os amantes podem fazer àqueles que amam.

Considere as plantas de Adônis, forçadas rápido demais à sua *akmē*, mantidas no auge da floração enquanto o festival acontece, descartadas no dia seguinte: essa é uma imagem de como o *erastēs* convencional usa o *paidika*. É uma imagem de um ser humano explorando outro, ao controlar seu tempo de vida.

ἔτι τοίνυν ἄγαμον, ἄπαιδα, ἄοικον ὅτι πλεῖστον χρόνον παιδικὰ ἐραστὴς εὔξαιτ᾽ ἂν γενέσθαι, τὸ αὑτοῦ γλυκὺ ὡς πλεῖστον χρόνον καρποῦσθαι ἐπιθυμῶν.

The lover will passionately wish his paidika *to remain unmarried and childless and homeless for as long a time as possible, since it is his desire to reap the fruit of what is sweet to himself for as long a time as possible.*

O amante deseja com fervor que o *paidika* permaneça sem casamento, filhos ou casa o máximo de tempo possível, pois seu desejo é colher para si o fruto do que é doce o máximo de tempo possível.

(240A)

É assim que Sócrates descreve as tendências manipulativas do *erastēs* convencional. Esse amante prefere jogar os jogos eróticos com um parceiro que não tem raiz nem futuro.

Alguma seriedade está faltando

As flores estáticas de Adônis fornecem uma resposta à nossa pergunta "O que quem ama pediria ao tempo?". Da maneira como Platão a formula, a resposta nos leva mais uma vez à percepção de que amantes e leitores têm desejos muito semelhantes. E o desejo de cada um é paradoxal. Como amante, você quer que o gelo *seja* gelo e ainda assim não derreta nas suas mãos. Como leitor, você quer que o conhecimento *seja* conhecimento e ainda assim esteja fixado na página escrita. Tais desejos, mesmo sem querer, te causam dor, pelo menos em parte, porque te colocam em um ponto cego a partir do qual você observa o objeto de desejo desaparecer dentro de si mesmo.

Platão está bem consciente dessa dor. Ele a recria repetidas vezes em sua dialética, e a experiência da dialética é intrínseca ao tipo de compreensão que ele deseja comunicar. Observamos em *Fedro* essa recriação especialmente no nível da analogia. As analogias de Platão não são esquemas planos nos quais uma imagem (por exemplo, jardins) é sobreposta a outra (a palavra escrita) em correspondência exata. A analogia é construída em espaço tridimensional. Suas imagens flutuam uma sobre a outra sem convergência: existe algo no meio, algo paradoxal: Eros.

Eros é a base não declarada de tudo o que acontece entre Adônis e Afrodite no mito, que é reencenado no ritual dos jardins.

Eros é o solo no qual *logos* se enraíza entre duas pessoas que estão conversando, algo que pode ser reencenado na página escrita. Os rituais e encenações acontecem fora do tempo real da vida das pessoas, em um momento de controle em suspensão. Nós amamos esse tempo suspenso porque ele é diferente do tempo comum e da vida real. Amamos as atividades que acontecem dentro desse tempo suspenso, como festivais e leituras, porque nelas falta seriedade. Esse amor preocupa Platão. Uma pessoa seduzida por ele pode pensar em substituir o tempo real pelo tipo de tempo que é adequado apenas para os rituais ou livros. Isso seria um erro grave e prejudicial, do ponto de vista de Platão. Pois, da mesma forma que não existe correspondência exata entre as plantas sem raiz e o Adônis prestes a morrer, também existe apenas uma correspondência simbólica entre palavras escritas e o *logos* real. Para a pessoa que confunde o símbolo com a realidade, resta um jardim morto ou um caso de amor igual aquele que Lísias prescreve ao não amante. Tem alguma coisa faltando nesse caso de amor, assim como falta vida no jardim, alguma coisa essencial: Eros.

Tomando conta

"Ele tinha a mesma atitude em relação à vida que um escultor tem em relação à sua estátua ou que um romancista, em relação ao seu romance. Um dos direitos inalienáveis de um romancista é poder retrabalhar seu romance. Se ele não gosta do início, pode reescrevê-lo ou riscá-lo completamente. Mas a existência de Zdena privou Mirek dessa prerrogativa como autor. Zdena insistiu em fazer parte das páginas iniciais do romance. Ela se recusou a ser riscada."

MILAN KUNDERA, *O LIVRO DO RISO E DO ESQUECIMENTO*

Platão apresenta Lísias como alguém que se acha capaz de controlar todos os riscos, sustos e inebriações de eros usando um cálculo emocional espantoso. A estratégia lisiana de vida e amor aplica um conjunto de táticas, que já conhecemos, aos eventos eróticos reais. O não amante de Lísias se afasta do fluxo da vida do amado e se posiciona em um ponto de distância estética. É o ponto de vista vantajoso do escritor. As epifanias de Lísias sobre eros são as epifanias de um escritor, e a teoria de controle que ele expõe trata a experiência do amor como um texto fixo que pode ser iniciado de qualquer lugar ou lido de trás para a frente e oferecer o mesmo sentido. É um discurso fraco, e o não amante seria um *erastēs* bastante chato. No entanto, o discurso seduziu Fedro de cara. Ele leu o discurso várias vezes como se estivesse apaixonado pelas palavras (228b; cf. 236b). Existe um poder terrível no *logos* de Lísias. Que poder é esse?

O texto de Lísias oferece a quem lê algo que ninguém que já tenha se apaixonado poderia deixar de cobiçar: o autocontrole. Como eventos aparentemente externos entram e começam a controlar a psique de alguém? Essa pergunta, especialmente em suas versões eróticas, obcecava os gregos. Já vimos como Homero enquadrou a questão em *Ilíada*, na forma de um encontro entre Helena e Afrodite na muralha de Troia (3.400 ss.). Afrodite se materializa do nada, no meio de uma tarde que parecia comum, e incita o desejo sobre Helena. Helena se debate em resistência; Afrodite a paralisa com uma única ameaça. O desejo é um momento sem escapatória. De maneira consistente, em todo o *corpus* lírico grego, bem como na poesia da tragédia e comédia, eros é uma experiência que ataca a pessoa apaixonada de fora para dentro e vai tomando conta do seu corpo, mente e a qualidade de sua vida. Eros surge do nada, voando, para agredir a pessoa apaixonada, para privar seu corpo de órgãos vitais e substância material, para enfraquecer sua mente e distorcer o pensamento, para substituir as condições normais de saúde e sanidade por doença e loucura. Os poetas representam eros como uma invasão, uma doença, uma insanidade, como um animal selvagem, um desastre natural. Sua ação é derreter, quebrar, morder, queimar, devorar, desgastar, rodopiar, picar, perfurar, ferir, envenenar, sufocar, arrastar ou moer a pessoa apaixonada até virar pó. Eros usa redes, flechas, fogo, martelos, furacões, febres, luvas de boxe ou mordidas e cabeçadas no ataque. Ninguém consegue lutar contra Eros (*Hino homérico a Hermes* 434; Safo, *LP*, fr. 130,2; *Soph. Ant.* 781; *Trach.* 441; Eur., TGF, fr. 433; cf. Pl. *Symp.* 196d). Muito poucos percebem ele chegando. Ele acende você vindo de um lugar fora de você e, assim que ele começa, você sofre uma dominação, uma transformação radical. Você não consegue resistir à mudança nem a controlar, tampouco chegar a um acordo com ela. Em geral é uma mudança para pior, na melhor das hipóteses uma bênção mista (*glukupikron*, como diz Safo). Essa é a atitude e a convicção típica dos poetas.

Dirigindo-se a um público do século V educado pelos poetas, Platão está escrevendo para homens imbuídos dessa convicção. O próprio Lísias dá testemunho da tradição poética, pois sua suposição determinante ao mostrar o quanto eros pode ser prejudicial é a de que o *erastēs* convencional é alguém sem autocontrole:

καὶ γὰρ αὐτοὶ ὁμολογοῦσι νοσεῖν μᾶλλον ἢ σωφρονεῖν, καὶ εἰδέναι ὅτι κακῶς φρονοῦσαν, ἀλλ᾽ οὐ δύνασθαι αὑτῶν κρατεῖν·

For indeed lovers themselves admit that they are sick not sane, and know they are not in their right minds, but they are not able to control themselves.

Pois, de fato, os próprios amantes admitem que estão doentes e não sãos e sabem que não estão com a cabeça no lugar certo, não são capazes de se controlar.

(231D)

O amante dominado por eros não pode responder pelas próprias ações nem pela própria mente. A partir dessa condição, que os gregos chamam de loucura erótica ou *mania*, surge a capacidade do amante de ser nocivo.

Assim que eros entra em sua vida, o amante se perde, fica louco. Mas onde é o ponto de entrada? Quando começa o desejo? É um momento muito difícil de localizar, até que já é tarde demais. Quando você se apaixona, já é sempre tarde demais: *dēute*, como dizem os poetas. Ser capaz de isolar o momento em que o amor começa, e assim bloquear sua entrada ou evitá-lo completamente, te daria o controle sobre eros. O não amante de Lísias afirma ter conseguido tal controle. Ele não diz como, e a afirmação continua psicologicamente incrível. O *logos* do não amante simplesmente ignora o momento em que eros começa; ele fala como se estivesse no fim do caso amoroso, como alguém que nunca foi tomado pelo desejo. Os não amantes são pessoas que permanecem "mestres de si mesmas" (232a).

Sócrates nega que tal controle seja sequer possível, ou mesmo desejável, para os seres humanos. Ele fala desse controle como uma economia da morte:

... ἡ δὲ ἀπὸ τοῦ μὴ ἐρῶντος οἰκειότης, σωφροσύνῃ θνητῇ κεκραμένη, θνητά τε καὶ φειδωλὰ οἰκονομοῦσα, ἀνελευθερίαν ὑπὸ πλήθους ἐπαινουμένην ὡς ἀρετὴν τῇ φίλῃ ψυχῇ ἐντεκοῦσα....

... *the intimacy of the nonlover is mixed with a mortal selfcontrol* [sōphrosynē thnētē] *which disburses itself in mortal miserly measurings* [thnēta te kai pheidōla oikonomousa] *and engenders in the beloved soul that spirit of begrudgement commonly praised as virtue....*

... a intimidade do não amante é misturada a um autocontrole mortal [*sōphrosynē thnētē*] que se oferece em porções mortais miseráveis [*thnēta te kai pheidōla oikonomousa*] e engendra na alma da pessoa amada aquele espírito de ressentimento geralmente elogiado como virtude...

(256E)

O não amante foge do desejo usando uma mesquinhez fatal. Ele mede suas emoções como se fosse um avarento contando ouro. Não existe risco envolvido na transação que faz com eros porque o não amante não investe no único momento que está aberto ao risco, o momento em que o desejo começa, "agora". É no "agora" que a mudança acontece. O não amante recusa a mudança, tão bem-sucedido quanto as cigarras, encerrado dentro de uma carapaça de *sōphrosynē*. Ele está seguro dentro das suas escolhas narrativas de vida e amor. Ele já sabe como o romance vai terminar e já riscou o começo com firmeza.

Leia pra mim a parte de novo

> "Leia pra mim a parte
> de novo sobre a coisa
> que é pura...
>
> leia aquela parte, da coisa
> que desviamos o olhar,
> você começa."
> JOHN HOLLOWAY, "CONE".

Mas Sócrates continua insistindo no começo. Depois de Fedro ter lido para ele o discurso de Lísias, Sócrates pede que Fedro releia as primeiras palavras:

Ἴθι δή μοι ἀνάγνωθι τὴν τοῦ Λυσίου λόγου ἀρχήν..

Come on, read me the beginning of Lysias' speech....

Vamos, lê para mim o início do discurso de Lísias...

(262D)

E então pede que Fedro releia novamente:

βούλει πάλιν ἀναγνῶμεν τὴν ἀρχὴν αὐτοῦ;

Please, will you reread his beginning one more time?

Por favor, você pode reler o início mais uma vez?

(263E)

Fedro permanece educado, mas relutante. Ele sabe que não existe começo no discurso de Lísias, e fala isso:

εἰ σοί γε δοκεῖ· ὃ μέντοι ζητεῖς οὐκ ἔστ' αὐτόθι.

*Yes, I will if you like, but the thing
you are looking for is not there.*

Sim, releio se você quiser, mas o que
você está procurando não está lá.

(263E)

O que Sócrates está procurando é o "agora" do desejo. Mas a primeira frase de Lísias já coloca a relação erótica no tempo pretérito. O não amante começa dizendo ao rapaz:

περὶ μὲν τῶν ἐμῶν πραγμάτων ἐπίστασαι, καὶ ὡς νομίζω
συμφέρειν ἡμῖν γενομένων τούτων ἀκήκοας·

*My business you know and, as to how I think these things that
have transpired between us should turn out, you have heard.*

Você já conhece meu jeito e, quanto a como eu acho que essas coisas que aconteceram entre nós devem terminar, você já ouviu.

(230E7 = 262E2 = 263E7)

O fato de Sócrates não conseguir encontrar o começo do *logos* de Lísias, ou o início do eros de Lísias, é crucial. Os começos são cruciais. Sócrates enfatiza com a linguagem mais digna possível (245c-46) que tudo o que existe tem um começo, com uma única exceção: o próprio começo. Somente o *archē* em si controla seu próprio começo. É justamente esse controle que Lísias usurpa quando saca sua caneta e risca o começo do eros para o não amante. Mas esse ato é ficcional. Na realidade, o começo é o único momento que você, como alvo involuntário de Eros alado, não consegue controlar. Tudo o que esse momento oferece, tanto o bem quanto o mal, o amargo e o doce, é dado de forma gratuita e imprevisível – é um presente dos deuses, como dizem os poetas. Depois desse momento, a história em grande parte depende de você, mas o começo, não. É nesse entendimento que reside a diferença crítica entre o pensamento erótico de Sócrates e o de Lísias. Sócrates faz Fedro procurar um começo no *logos* de Lísias, em vão, para reforçar seu argumento. O começo não é fictício. Alguém que escreve ou lê não pode assumir o controle sobre o começo. Devemos notar que o verbo grego "ler" é *anagignōskein*, um composto do verbo "conhecer" (*gignōskein*) e o prefixo *ana*, que significa "novamente". Se você está lendo, não está no início.

Como diz Sócrates, sua história começa no momento em que Eros entra em você. Essa incursão é o maior risco que você vai sofrer na vida. Como você lida com isso indica a qualidade, a sabedoria e o decoro das coisas que existem dentro de você. Enquanto você lida com o risco, entra em contato com o seu interior de uma maneira repentina e surpreendente. Você percebe quem você é, o que te falta, o que você poderia ser. Que modo de percepção é esse, tão diferente da percepção comum, que é bem descrito como loucura? Como é que, quando você se apaixona, sente como se de repente estivesse vendo o mundo como ele realmente é? Um estado de conhecimento flutua sobre sua vida. Parece que você sabe o que é real e o que não é. Alguma coisa está elevando você a um entendimento tão completo e evidente que você fica radiante. Sócrates acredita que esse humor não é uma ilusão. É desviar o olhar e encarar o tempo, olhar para realidades que você já conhecia, que são tão espantosamente belas quanto o olhar da pessoa que você ama (249e-50c).

O ponto no tempo que Lísias apaga do seu *logos*, o momento de *mania* quando Eros entra no amante, é para Sócrates o momento mais importante de encarar e compreender. O "agora" é um presente dos deuses e um acesso à realidade. Dar atenção ao momento em que Eros olha para sua vida e compreender o que está acontecendo na sua alma naquele instante é começar a entender como viver. A maneira como Eros assume o controle sobre você é uma lição: ele pode te ensinar a verdadeira natureza do que existe dentro de você. Quando você vislumbra a verdadeira natureza, pode começar a se transformar nela. Sócrates diz que é o vislumbre de um deus (253a).

A resposta de Sócrates ao dilema erótico do tempo, então, é a antítese da resposta de Lísias. Lísias escolhe excluir o "agora" e narrar inteiramente a partir do ponto de vista do "então". Na visão de Sócrates, riscar o "agora" é, em primeiro lugar, impossível, é a impertinência de quem escreve. Mesmo se fosse possível, riscar o "agora" significaria perder um momento de valor único e indispensável. Sócrates propõe, em vez disso, assimilar o "agora" de tal forma que ele se prolongue por toda a vida e para além dela. Sócrates inscreveria seu romance dentro do instante do desejo. Precisamos manter à vista essa ambição literária socrática, pois ela terá um sério efeito sobre a história que Platão está contando em *Fedro*. Ela vai fazer a história desaparecer.

O então termina onde o agora começa

Sócrates e Lísias até concordam a respeito de quais são os fatos observáveis da experiência erótica, mas existe um abismo de diferença entre as leituras que eles fazem desses fatos. Os fatos são que eros muda você tão drasticamente que parece que você se torna uma pessoa diferente. Na perspectiva do pensamento convencional, tais mudanças são melhor categorizadas como loucura. Qual é a melhor coisa a fazer com uma pessoa louca? Riscar ela do seu romance, é a resposta de Lísias. É uma resposta que faria certo sentido para os contemporâneos de Lísias, uma vez que sua versão de eros é construída com premissas bastante convencionais. Essa versão concebe o desejo, nos termos de uma longa tradição poética, como uma dominação devastadora do eu e uma experiência em geral negativa. Ela assume, como era padrão no pensamento moral popular da época, o autocontrole ou *sōphrosynē* como a regra para uma vida iluminada. Sócrates subverte esses dois clichês. Sua abordagem é radical. Ele não duvida que um não amante alcançará as proezas do *sōphrosynē*. Ele não nega que a ação de eros é uma tomada de poder, uma forma de *mania*, mas ele reivindica a *mania*. Vamos ver como.

    A mudança do eu é a perda do eu, de acordo com a atitude tradicional grega. Categorizada como loucura, é considerada um mal inquestionável. Sócrates não concorda:

λεκτέος δὲ ὧδε, ὅτι οὐκ ἔστ᾽ ἔτυμος λόγος ὃς ἂν παρόντος ἐραστοῦ τῷ μὴ ἐρῶντι μᾶλλον φῇ δεῖν χαρίζεσθαι, διότι δὴ ὁ μὲν μαίνεται, ὁ δὲ σωφρονεῖ. εἰ μὲν γὰρ ἦν ἁπλοῦν τὸ μανίαν κακὸν εἶναι, καλῶς ἂν ἐλέγετο· νῦν δὲ τὰ μέγιστα τῶν ἀγαθῶν ἡμῖν γίγνεται διὰ μανίας, θείᾳ μέντοι δόσει διδομένης.

I *must say this story* [logos] *is not true, the story that a nonlover should be gratified in preference to a lover on the grounds that the latter is mad while the former is sane. Now, if it were a simple fact that madness* [mania] *is evil, the story would be fine. But the fact is, the greatest of good things come to us through madness when it is conferred as a gift of the gods.*

Devo dizer que essa história [*logos*] não é verdadeira, a história de que um não amante deva ser gratificado em detrimento de um amante, com base no argumento de que o último é louco enquanto o primeiro é são. Agora, se fosse um simples fato de dizer que a loucura [*mania*] é maléfica, a história estaria certa. Mas o fato é que as melhores coisas chegam até nós através da loucura, quando ela é conferida como um presente dos deuses.

(244A)

O argumento central de Sócrates, à medida que ele vai reavaliando a loucura, é que quando você guarda sua mente para si mesmo paga o preço de se fechar para os deuses. As coisas verdadeiramente boas e de fato divinas estão vivas e ativas fora de você, você deve deixar que elas entrem para operar mudanças. Tais incursões educam e enriquecem formalmente nossas vidas em sociedade; nenhum profeta, curandeiro ou poeta poderia praticar sua arte se não enlouquecesse, diz Sócrates (244a-45). A loucura é o instrumento desse tipo de inteligência. Mais precisamente, a *mania* erótica é uma coisa valiosa para a vida privada. Ela dá asas à alma.

A exposição de Sócrates da *mania* como uma experiência lucrativa para o indivíduo depende de uma teoria da dinâmica da alma que é elaborada com cuidado para responder às questões de controle erótico levantadas pela poesia tradicional. Sua análise inclui, e ao mesmo tempo subverte, as metáforas-padrão de eros feitas pelos poetas, para que assim ele possa reformular o enquadramento tradicional da experiência erótica. Onde os poetas enxergam perda e dano, Sócrates insiste no lucro e no crescimento. Onde eles enxergam o gelo derretendo, ele diz que as asas crescem. Quando eles se preparam para resistir contra a perda de controle, ele se abre para o voo.

Apesar de concordarem em pontos elementares, no final, existe uma diferença enorme entre as atitudes eróticas de Sócrates, de um lado, e o sentimento tradicional grego e de Lísias, de outro. É uma delícia ver Platão resumir toda essa diferença em uma única imagem. As asas, na poesia tradicional, são o mecanismo que Eros usa para se lançar sobre quem ama, que não suspeita de nada, e lutar pelo controle da sua pessoa e personalidade. As asas são um instrumento de dano e um símbolo do poder irresistível. Quando você se apaixona, a mudança chega com asas, te atravessa e você não consegue resistir, perde o controle sobre aquela entidade que você aprecia tanto, o seu eu.

Vimos como Safo descreve a perda do eu no fragmento 31. Assim que o desejo assume as funções do seu corpo, mente e percepção, ela diz *eptoaisen*, que significa algo como "coloca o coração no meu peito em asas" ou "faz meu coração voar dentro de mim" (31.6). Anacreonte fala da mesma sensação e a atribui a mesma causa:

ἀναπέτομαι δὴ πρὸς Ὄλυμπον πτερύγεσσι κούφης
διὰ τὸν Ἔρωτ᾽· οὐ γὰρ ἐμοὶ   -   θέλει συνηβᾶν.

I am soaring toward Olympos on light wings
for the sake of Eros, for [the boy I desire] is not
willing to share his youth with me.

Estou subindo ao Olimpo com leves asas
por conta de Eros, pois [o rapaz que desejo] não
quer compartilhar sua juventude comigo.

(378 PMG)

O desejo que enlouqueceu Helena é representado por Alceu em termos semelhantes:

κἀλένας ἐν στήθ[ε]σιν [ἐ]πτ[όαις
θῦμον Ἀργείας Τροΐω δ[.].αν[
ἐκμάνεισα ξ[ε.]ναπάτα πιπ[
ἔσπετο νᾶϊ

... [Eros] made Helen's heart fly like a wing in her
    chest
and she went out of her mind for a Trojan man
and followed him over the sea....

... [Eros] fez o coração de Helena voar como uma asa
    em seu peito
e ela enlouqueceu por um homem de Troia
e o seguiu pelo mar....

(LP, FR. 283.3-6)

O significado das asas de Eros tornou-se um *topos* poético na época helenística, como vemos neste epigrama de Árquias:

"Φεύγειν δεῖ τὸν Ἔρωτα" κενὸς πόνος· οὐ γὰρ ἀλύξω
πεζὸς ὑπὸ πτηνοῦ πυκνὰ διωκόμενος.

"You should flee Eros": empty effort!
How shall I elude on foot one who chases me on wings?

"Você deve fugir de Eros": vão esforço!
Como posso escapar a pé daquele que me persegue com asas?
(ANTH. PAL. 5.59)

Platão reimagina as asas tradicionais de Eros. Na concepção de Platão, as asas não são uma maquinaria de invasão alheia. Elas têm raízes naturais em todas as almas, um resíduo de seus primórdios imortais. Nossas almas outrora tinham asas, diz Platão, e viviam entre os deuses, nutridas como são os deuses pela euforia infinita de olhar para a realidade o tempo todo. Agora estamos em exílio daquele lugar divino e da sua qualidade de vida, mas nos lembramos dele de vez em quando, por exemplo, quando contemplamos a beleza e nos apaixonamos (246-51). Além disso, temos o poder de recuperar aquele início, usando as asas da alma. Sócrates descreve como, dadas certas condições, as asas vão crescer poderosas o bastante para levar a alma de volta ao começo. Quando você se apaixona, sente todo tipo de sensação dentro de si, dolorosas e agradáveis ao mesmo tempo: são suas asas desabrochando (251-52). É o começo do que você pretendia ser.

Os começos são cruciais. Agora está mais claro por que Sócrates está tão empenhado em entendê-los. Para Sócrates, o momento inicial de eros é um vislumbre do "começo" imortal que é uma alma. O "agora" do desejo é um eixo afundado no tempo que emerge na atemporalidade, onde os deuses flutuam e se alegram com a realidade (247d-e). Quando você entra no "agora", se lembra de como é estar realmente viva, como estão os deuses. Existe algo de paradoxal nessa "memória" de um tempo que é atemporal. A verdadeira diferença entre as teorias eróticas de Sócrates e de Lísias reside nesse paradoxo. Lísias fica chocado com o paradoxo do desejo e decide passar um risco sobre o paradoxo: para ele, todo "agora" erótico é o começo de um fim, e nada mais. Ele prefere um "então" imutável, sem fim. Mas Sócrates olha para o momento paradoxal chamado "agora" e percebe um movimento curioso acontecendo ali. No ponto em que a alma dá início a si mesma, um ponto cego parece se abrir. Para dentro do ponto cego o "então" desaparece.

Que diferença faz uma asa

"Um deus pode. Mas me diz como
pode um homem penetrar por entre as cordas da lira?
Nossa mente se divide."

RILKE, *OS SONETOS A ORFEU*

As asas marcam a diferença entre uma história de amor mortal e uma história de amor imortal. Lísias abomina o começo de eros porque pensa que na verdade é um fim; Sócrates se alegra com o começo porque acredita que, na verdade, não pode haver fim. Assim também, a presença ou ausência de asas na história de uma pessoa apaixonada determina sua estratégia erótica. Lísias mede sua experiência erótica com aquela *sōphrosynē* (256e) miserável e mortal, é uma tática de defesa contra a mudança de eu que o eros impõe. Mudança é risco. O que faz o risco valer a pena?

Fedro apresenta o lado negativo ao nos mostrar várias imagens de ausência de mudanças. Vimos como, em diversas formas, Midas e as cigarras e o jardim de Adônis permanecem inalteráveis e distantes dos processos da vida no tempo. As imagens não são encorajadoras: na melhor das hipóteses, você "não vai perceber a própria morte" (cf. 259c). O lado positivo é que o mito das asas de Sócrates é um vislumbre do que os seres mortais têm a ganhar quando eros entra em suas vidas. Mas devemos olhar com bastante atenção para esse vislumbre e para a forma como Sócrates o desenvolve. Ele não é nem um pouco ingênuo em relação ao que está envolvido nessa transação. Apaixonar-se te dá acesso a um bem infinito. Mas também está muito evidente que, quando Eros, em sua verdadeira forma, te afeta, algo se perde, algo difícil de mensurar.

Quando você se apaixona, abandona as formas de vida comuns. A única preocupação de quem ama é estar com a pessoa amada. Todo o resto se torna insignificante, como descreve Sócrates:

... ἀλλὰ μητέρων τε καὶ ἀδελφῶν καί εταίρων πάντων λέλησται, καὶ οὐσίας δι' ἀμέλειαν ἀπολλυμένης παρ' οὐδὲν τίθεται, νομίμων δὲ καὶ εὐσχημόνων, οἷς πρὸ τοῦ ἐκαλλωπίζετο, πάντων καταφρονήσασα δουλεύειν ἑτοίμη καὶ κοιμᾶσθαι ὅπου ἂν ἐᾷ τις ἐγγυτάτω τοῦ πόθον·

... *he forgets his mother and his brothers and all his comrades, couldn't care less if his property is lost through neglect, and, in disdain of all those proprieties and decorums whose beauty he once cherished, he is ready to be a slave, to sleep anywhere he is allowed, as close as possible to his desire.*

... ele esquece a mãe, os irmãos e todos os camaradas, não está nem aí se suas posses se perdem por negligência, e, em desdém a todas aquelas propriedades e regras de decoro cuja beleza ele um dia estimou, está pronto para ser um escravo, para dormir em qualquer lugar que lhe seja permitido, o mais próximo possível do seu desejo.

(252A)

Apaixonar-se, ao que parece, muda sua visão sobre o que é ou não significativo. Resulta em um comportamento aberrante. As regras de decoro são desconsideradas. Essa é a experiência comum (*pathos*) de quem ama, diz Sócrates, a qual chamam de Eros (252b).

Mas Eros tem outro nome, Sócrates anuncia de repente, e desenvolve essa curiosa revelação em forma de trocadilho. Visto que os trocadilhos são uma forma um tanto absurda de raciocínio e beiram a injustiça, por causa do seu poder persuasivo, autores sérios se sentem obrigados a pedir desculpas quando os usam, então Sócrates adverte Fedro de que seu trocadilho é "bastante ultrajante" (*hybristikon panu*, 252a) e talvez falso ("você pode acreditar ou não", ele conclui, 252c). Além disso, não tem métrica. O trocadilho está contido em dois versos espúrios de Homero, e o segundo verso não está de acordo com os princípios métricos. Os versos se referem à diferença entre a língua falada pelos deuses e a língua falada pelos homens. No que diz respeito à palavra desejo, a diferença é de apenas duas letras:

τὸν δ' ἤτοι θνητοὶ μὲν Ἔρωτα καλοῦσι ποτηνόν,
ἀθάνατοι δὲ Πτέρωτα, διὰ πτεροφύτορ' ἀνάγκην.

*Now mortals call him winged Eros
but immortals call him Pteros, because of the winggrowing necessity.*

Agora, os mortais o chamam de Eros, o alado
mas os imortais o chamam de Pteros, por conta da
necessidade crescente-de-asas.

(252c)

Ao acrescentar *pt-* a Eros, os deuses criam Pteros, que é um jogo com a palavra grega *pteron* que significa "asa". Na linguagem dos deuses, então, o desejo é conhecido como "o alado" ou "aquele que tem alguma relação com asas". Por quê? Os deuses têm uma razão para usar Pteros, porque o desejo envolve uma "necessidade crescente-de-asas".

Existe uma ideia antiga, em grego, de que os deuses têm uma língua própria. Homero faz várias vezes menção à linguagem divina (*Il*. 1.403- 404; 2.813; 14.290-91; 20.74; *Od*. 10.305; 12.61) e

Platão retoma o assunto no *Crátilo* (391 ss.). Filólogos modernos acreditam que existe aqui um vestígio da diferença entre as populações gregas e pré-gregas do continente. Os antigos tinham uma visão mais ousada. "Obviamente, os deuses chamam as coisas pelos nomes naturalmente corretos", diz Sócrates no *Crátilo* (391e). Seria bom acreditar que os nomes divinos têm um sentido mais evidente ou um significado maior do que os nomes mortais. Infelizmente, não é fácil ver isso na maioria dos exemplos existentes, mas aparentemente era uma opinião viável na época de Platão e com certeza faz parte da sugestão de Sócrates no *Fedro*, assim como no *Crátilo*. "Certamente, os deuses se chamam pelos seus verdadeiros nomes", é sua afirmação no *Crátilo* (400e). Pteros é um nome mais verdadeiro do que Eros.

Pode-se dizer que Pteros tem mais verdade do que Eros porque nos diz não apenas como o desejo deve ser nomeado, mas por quê. Ou, como afirma Sócrates, o nome dos deuses inclui tanto *pathos* (experiência descritível) quanto *aitia* (causa ou razão definitiva) do desejo (252c). É evidente no primeiro verso da citação homérica que os mortais, mesmo não sabendo o nome verdadeiro, foram perspicazes ao chamar Eros de "alado" – ou seja, eles compreenderam o *pathos* da experiência, tinham sentido o desejo atravessar suas entranhas. Mas os mortais não sabiam por que a experiência tinha essa característica. Eles não haviam compreendido a *aitia* do sentimento. Os deuses sabem o porquê de as coisas serem, necessariamente, do jeito que são. É com esse conhecimento que eles nomeiam os nomes.

Pteros, então, representa um ganho líquido no nível semântico. Mas, como poesia, é um erro, uma gafe. Sócrates nos avisa que a citação não tem métrica; nos resta perceber que Pteros é a própria palavra responsável por deslocar o ritmo do segundo verso. Eis o problema: o verso é um hexâmetro datílico e tem escansão perfeita, exceto pela palavra *de*, que precede o nome divino Pteros. *De* é por natureza um monossílabo curto e sua posição no verso requer uma sílaba curta; as regras da prosódia grega, no entanto, geralmente pedem uma sílaba curta, quando seguida por duas consoantes, para se tornar uma sílaba longa. Assim o *pt-* com o qual os deuses ampliam *erōs* força esse verso a um dilema métrico. É um dilema de contornos já conhecidos: nos lembra das crianças do poema de Sófocles que querem segurar o gelo nas mãos e também querem soltá-lo. *De* não pode ser ao mesmo tempo uma sílaba longa e uma sílaba curta, pelo menos não na realidade como nós a vemos.

Os deuses com certeza veem a realidade de forma diferente. Mas não surpreende que a melhor versão divina da verdade resista a ser reduzida às medidas humanas. Afinal, eles são seres infinitos, e o pensamento antigo está imbuído da noção de incomensurabilidade entre as maneiras dos deuses e as nossas. Platão torce esse clichê de um jeito particular e significativo na citação que faz de Homero. Pteros perturba nossas métricas da mesma forma que Eros deforma nossas vidas. A métrica é, essencialmente, uma tentativa de controlar as palavras no tempo. Nós impomos esse controle nas questões sobre beleza. Mas quando Eros entra na sua vida ele traz um padrão próprio de beleza e simplesmente cancela "todas aquelas propriedades e regras de decoro cuja beleza você um dia estimou" (252a).

O verso épico malfeito de Platão resume a transação humana com Eros. Os termos da transação são dolorosos. Podemos lucrar com a ampliação de sentido, admitindo Eros em sua verdadeira forma divina como Pteros, mas à custa da beleza formal do verso. Ao inverter esses termos, vemos um reflexo de Lísias que, com a habilidade e o cálculo de um romancista, desenha um caso de amor formalmente perfeito que não tem sentido nenhum.

As asas de Eros marcam uma diferença crítica entre deuses e homens, pois elas desafiam a expressão humana. Nossas palavras são muito pequenas, nossos ritmos são muito restritos. Mas o verdadeiro significado do desejo escapa à nossa compreensão mortal não apenas no nível da convenção ortográfica e métrica, ou seja, não apenas no nível da forma. Mesmo quando vislumbramos a versão divina de Eros, mesmo quando um verso nos dá um acesso acidental ao verdadeiro *pathos* e *aitia* do desejo, mesmo assim nem sempre compreendemos. Por exemplo, o que o poeta dessas duas linhas épicas pretende com a frase "necessidade crescente-de-asas"? A tradução é precária porque a tradutora não sabe o que isso significa. Essa frase nos fornece, ostensivamente, uma *aitia* divina para o verdadeiro nome de Eros. Mas de quem são as asas e de quem é a necessidade? Eros tem asas? Eros precisa de asas? Eros faz com que outros tenham ou precisem de asas? Eros necessita que outros tenham asas? Eros necessita fazer com que outros necessitem de asas? São várias as possibilidades, não incompatíveis umas com as outras, que transbordam da citação épica. Pode ser que os deuses, com seus aprimoramentos, pretendam implicar todas as possibilidades de uma vez só quando usam o nome Pteros. Mas não podemos saber se é isso. Como diz Sócrates a seu interlocutor no *Crátilo*, quando eles estão discutindo essa mesma questão de nomes divinos e seu valor-de-verdade: "Sem dúvida, esses são assuntos fora do nosso alcance de compreensão" (382b).

Para o leitorado moderno, as chances de descobrir a verdade sobre o nome de Eros são ainda mais difíceis do que era para Sócrates ou para Platão ou para o público de Platão. A essa altura do *Fedro*, nós (público leitor moderno) somos vítimas de uma tradição textual duvidosa. Os manuscritos transmitem três leituras diferentes do adjetivo aqui apresentado como "crescente-

-de-asas". Uma vez que o adjetivo é provavelmente uma invenção platônica, os problemas de transmissão não são surpreendentes nem insuperáveis: *"pterophutor"* ("winggrowing"/"crescente-de--asas") parece de fato a leitura mais plausível. No entanto, nossas dúvidas sobre o texto servem para confirmar e intensificar o ponto de vista de Platão, de uma maneira que ele não poderia ter previsto, mas talvez gostasse bastante. Não importa quais tecnologias desenvolvemos, o conhecimento sobre Eros que está disponível para nós não é evidente ou certo (cf. *Phdr.* 275c). Os deuses podem saber exatamente o que quer dizer o nome Pteros ou uma frase como "necessidade crescente-de-asas", mas, no fim das contas, nós não sabemos. Fazemos o máximo para captar o *pathos* da experiência erótica quando ela atravessa nossas vidas, mas a *aitia* dobra-se sobre si mesma e desaparece nas palavras escritas do texto de Platão.

Esse diálogo é sobre o quê?

> "velha lagoa
> sapo salta n'água
> Plop"
>
> BASHÔ

O *Fedro* é uma exploração da dinâmica e dos perigos do tempo controlado que se tornam acessíveis a quem lê, escreve e ama. Na opinião de Sócrates, o que um *logos* verdadeiro tem em comum com um caso de amor verdadeiro é isto: deve ser vivido no tempo. Não é o mesmo de trás para a frente, não se pode entrar nele em qualquer ponto, ele não pode ser congelado no ápice ou descartado quando o fascínio diminui. Um leitor, assim como um mau amante, pode querer dar um *zoom* em qualquer parte do texto e colher o fruto da sua sabedoria. Um escritor, como Lísias, pode achar que é possível rearranjar os membros de um trabalho de ficção que ele adora, sem ter consideração com a vida da ficção como um organismo no tempo. Assim, leitores e escritores se envolvem no glamour das *grammata* sem submeterem o próprio controle à experiência erótica como um todo ou à mudança do eu que isso implica. Como Odisseu preso ao mastro do navio, um leitor pode se excitar com o conhecimento como se fosse o canto da sereia e conseguir navegar intacto. É um tipo de voyeurismo, como vimos acontecer quando assistimos a Fedro ser seduzido pelas palavras escritas de Lísias. Na visão de Platão, o texto lisiano é uma pornografia filosófica quando comparado com o *logos* erótico de Sócrates. Mas Platão não consegue demonstrar isso simplesmente alinhando os textos de Lísias e de Sócrates como se fossem textos mortos um do lado do outro. A demonstração, para que seja cativante de verdade, exige uma artimanha. Então, Platão faz *logos* flutuar sobre *logos*; eles não convergem nem se cancelam. Já vimos outros escritores inventarem essas imagens estereoscópicas. Por exemplo, Safo, no fragmento 31, sobrepõe um nível de desejo sobre outro, faz o real flutuar sobre o possível, de tal forma que nossa percepção salta de um para o outro sem perder de vista a diferença entre eles. Ou ainda, o romancista Longo faz uma maçã flutuar em uma árvore sem frutas, desafiando a lógica e cativando Dáfnis. Ou considere Zenão que, em seus famosos paradoxos, suspende os objetos em movimento na impossibilidade de movimento, para que vejamos Aquiles correndo o mais rápido que pode, indo para lugar nenhum. Essas pessoas escritoras compartilham uma mesma estratégia; pretendem recriar em você certa ação da mente e do coração – a ação de buscar por um sentido ainda não conhecido. É uma busca que nunca alcança nada de fato, doce-amarga. A interação dos *logoi* de Platão em *Fedro* imita essa ação de busca. Enquanto Fedro lê o que Lísias escreveu, enquanto Fedro escuta o que Sócrates diz, algo começa a entrar em foco. Você começa a entender o que é e não é um *logos* e a diferença entre as duas coisas. Eros é a diferença. Como um rosto que passa no espelho no fundo da sala, Eros se move. Você tenta alcançá-lo. Eros não está mais ali.

O *Fedro* é um diálogo escrito que acaba desacreditando os diálogos escritos. Esse fato permanece encantando o público leitor. Na verdade, ele é a característica erótica fundamental desse *erōtikos logos*. Toda vez que você lê o diálogo, é conduzida a um lugar onde algo paradoxal acontece: o conhecimento sobre Eros, que Sócrates e Fedro desenrolam palavra por palavra por meio do texto escrito, simplesmente entra num ponto cego e desaparece, puxando o *logos* para dentro com ele. A conversa dos dois sobre o amor (227a-57c) se transforma em uma conversa sobre a escrita (257c-79c) e não se vê nem se escuta Eros de novo. Esse ato de interceptação dialética tem, desde a Antiguidade, assombrado todo mundo que deseja dizer, de maneira sucinta, do que se trata o diálogo. Mas aqui não existe nada de inadequado. Se você entrar no *Fedro* com a intenção de capturar Eros, você com certeza cairá em ilusão. Ele nunca olha para você do mesmo lugar de onde você o olha. Algo se move no espaço entre esses dois lugares. Isso é o que existe de mais erótico em Eros.

Mythoplokos

"Afeição! tua intenção apunhala o centro
Tu tornas possível coisas não imaginadas,
Comunicar-se com sonhos; – como pode ser isso? –
Com o que é irreal, tu és coativo,
E o teu companheiro é o nada."
SHAKESPEARE, *CONTO DE INVERNO*

Imagine uma cidade onde não há desejo. Supondo por ora que os habitantes da cidade continuem a comer, beber e procriar de forma mecânica; ainda assim, a vida deles parece chata. As pessoas não teorizam nem soltam pião nem falam de maneira figurativa. Poucas pensam em como evitar a dor; ninguém dá presentes. Elas enterram seus mortos e esquecem onde. Zenão é eleito prefeito, e está pronto para trabalhar copiando o código legal em folhas de bronze. De vez em quando, um homem e uma mulher se casam e vivem muito felizes, como viajantes que se encontram por acaso em uma pousada; à noite, quando dormem, sonham o mesmo sonho, em que assistem ao fogo se mover ao longo de uma corda que une os dois, mas é improvável que o casal se lembre do sonho pela manhã. A arte de contar histórias é bastante negligenciada.

Uma cidade sem desejo é, em suma, uma cidade sem imaginação. Aqui, as pessoas só pensam no que elas já sabem. Ficção é simplesmente falsificação. O prazer está fora de questão (é um conceito a ser entendido em termos históricos). Essa cidade tem uma alma acinética, uma condição que Aristóteles poderia explicar da seguinte forma. Sempre que qualquer criatura é movida a buscar o que deseja, diz Aristóteles, esse movimento começa com um ato da imaginação, que ele chama de *phantasia*. Sem tais atos, nem os animais nem os humanos sairiam da condição atual ou iriam além do que já sabem. A *phantasia* incita a mente ao movimento usando o poder da representação; em outras palavras, a imaginação prepara o desejo ao representar o objeto desejado como desejável na mente da pessoa desejante. A *phantasia* conta uma história para a mente. A história deve deixar evidente a diferença entre o que é atual/real/conhecido e o que não é, a diferença entre a pessoa desejante e a desejada (Arist., *De An.* 3.10.433a-b). Já vimos a forma que essa história toma quando poetas a contam em poemas líricos, quando romancistas a escrevem em romances, quando filósofos a interpretam como dialética. A fim de comunicar a diferença entre o que é atual/real/conhecido e o que é falta/possível/desconhecido, é necessário um circuito de três pontos. Vamos lembrar da estrutura do fragmento 31 de Safo: um "triângulo erótico" em que os três componentes do desejo ficam todos visíveis ao mesmo tempo em uma espécie de eletrificação. Sugerimos, durante nossa consideração do poema, que sua forma triangular é mais do que uma elegância arbitrária por parte da poeta. O desejo não pode ser percebido sem esses três ângulos. A concepção de Aristóteles de *phantasia* pode nos ajudar a ver como isso se dá. Na sua visão, toda mente desejante tenta se aproximar do objeto por meio de uma ação imaginativa. Se isso for verdade, nenhuma amante, poeta ou não, pode manter seu desejo distante do empreendimento fictício e triangulador revelado por Safo no fragmento 31. "Eros faz de todo homem um poeta" diz a antiga sabedoria (Eur. *Sthen.*, TGF, fr.663; Pl. *Symp.* 196e).

Eros é sempre uma história na qual quem ama, a pessoa amada e a diferença entre eles interagem. A interação é uma ficção arranjada pela mente de quem ama. Ela carrega uma carga emocional ao mesmo tempo detestável e deliciosa e emite uma luz da mesma forma que o conhecimento. Ninguém teve uma visão mais nítida desse assunto do que Safo. Ninguém captou suas características com mais precisão usando adjetivos. Vimos, em páginas anteriores, parte da força que tem seu neologismo *glukupikron*, "doce-amargo". Aqui está outro rótulo que ela criou para caracterizar a experiência erótica:

τὸν Ἔρωτα Σωκράτης σοφιστὴν λέγει, Σαπφὼ μυθοπλόκον.

Sokrates calls Eros a Sophist, but Sappho calls him "weaver of fictions" [mythoplokon].

Sócrates chama Eros de Sofista, mas Safo o chama de "fiandeiro de ficções" [*mythoplokon*].

diz Máximo de Tiro (18,9; Safo, *LP*, fr. 188). O adjetivo *mythoplokos*, assim como o contexto no qual Máximo o preservou, reúne alguns aspectos significativos de Eros. Para Safo, a desejabilidade do desejo parece estar ligada ao processo ficcional que ela chama de "fiação do mito". Sócrates, por outro lado, vê nesse processo algo parecido com os sofismas. Que intrigante é esse alinhamento de Safo e Sócrates, esse entre colchetes da contadora de histórias com o professor de sabedoria: os dois têm Eros em comum. Como assim?

Nas nossas leituras de textos gregos, seguimos a trajetória de uma antiga analogia entre a conquista do conhecimento e a conquista do amor, desde sua mais antiga ocorrência pelo verbo homérico *mnaomai*. Vamos reconsiderar essa analogia, designando Safo e Sócrates para representar seus dois polos. Logo já encontramos uma dificuldade. Sócrates, segundo o próprio testemunho, prefere colapsar os dois polos em um só. Essa é a única questão que atravessa sua vida inteira, a única pesquisa em que se identifica a compreensão do verdadeiro real e a busca do verdadeiro desejável. Duas vezes nos diálogos platônicos ele fala da sua busca por sabedoria e afirma que seu conhecimento, tal como é, não é nada mais que um conhecimento sobre "coisas eróticas" (*ta erōtika*: *Symp.* 177d; *Theag.* 128b). Ele não diz em nenhuma das passagens o que quer dizer com *ta erōtika*, "coisas eróticas". Mas podemos deduzir considerando sua história de vida. Ele amava fazer perguntas. Ele amava ouvir respostas, construir argumentos, testar definições, desvendar enigmas e assisti-los se desenrolando um depois do outro em uma estrutura que se abre através do *logos* feito uma estrada espiralada (*Pbdr.* 274a; cf. 272c) ou uma vertigem (*Soph.* 264c). Ou seja, ele amava o processo de vir a conhecer. Sobre esse amor, ele é sincero e preciso. Ele nos diz exatamente onde Eros está localizado no processo de saber ou pensar. Eros está na interseção de dois princípios de raciocínio, pois o *logos* procede de duas operações simultâneas. Por um lado, o raciocínio deve perceber e reunir certos detalhes dispersos, a fim de deixar evidente por definição o que deseja explicar. Essa é a atividade de "coleta" (*synagōgē*: *Pbdr.* 265d-e). Por outro lado, é necessário dividir as coisas por classes, onde estão as articulações naturais: essa é a atividade de "divisão" (*diaeresis*, 265e).

Ou seja, nós pensamos projetando a semelhança sobre a diferença, juntando as coisas em uma mesma relação ou ideia, ao mesmo tempo que mantemos as distinções entre as coisas. Uma mente pensante não é engolida pelo que passa a saber. Ela busca captar algo que seja relacionado a si mesma e ao seu conhecimento atual (portanto conhecível em algum grau), mas também separada de si mesma e de seu conhecimento atual (não idêntica a estes). Em qualquer ato de pensamento, a mente deve buscar esse espaço entre o conhecido e o desconhecido, ligando um ao outro, mas também mantendo visível sua diferença. Trata-se de um espaço erótico. Alcançá-lo é complicado; parece ser necessária uma espécie de estereoscopia. Já estudamos essa atividade estereoscópica em outros contextos, por exemplo, no fragmento 31 de Safo. O mesmo subterfúgio que tínhamos chamado de "artimanha erótica" em romances e poemas parece agora constituir a própria estrutura do pensamento humano. Quando a mente busca o conhecimento, o espaço do desejo se abre e uma ficção necessária acontece. É nesse espaço, no ponto em que os dois princípios de raciocínio se cruzam, que Sócrates localiza Eros. Ele descreve "coleta e divisão" como a atividade que lhe permite falar e pensar (*Phdr.* 266b). E ele se diz *apaixonado* por essa atividade:

Τούτων δὴ ἔγωγε αὐτός τε ἐραστής, ὦ Φαῖδρε, τῶν διαιρέσεων καὶ συναγωγῶν....

The fact is, Phaedrus, I am myself a lover [erastes] of these divisions and collections.

O fato é, Fedro, que eu mesmo sou um amante [*erastes*] dessas divisões e coleções.

(PHDR. 266B; CF. PHLB. 16B)

Essa é uma coisa surpreendente de se dizer. Mas ele deve ter falado sério: ele passou a vida inteira nessa atividade, impelido por uma única pergunta. Foi uma pergunta despertada nele pela Pítia em Delfos quando ela, de acordo com a famosa história contada na *Apologia* de Platão, anunciou Sócrates como o mais sábio dos homens. O pronunciamento perturbou Sócrates. No entanto, depois de uma quantidade considerável de pesquisas e reflexões, ele chegou a uma conclusão sobre o que o oráculo quis dizer:

ἔοικα γοῦν τούτου γε σμικρῷ τινι αὐτῷ τούτῳ σοφώτερος εἶναι, ὅτι ἃ μὴ οἶδα οὐδέ οἴομαι εἰδέναι.

> *In this one small thing at least it seems I am wiser—that I do not think I know what I do not know.*
>
> Tem uma pequena coisa pelo menos em que parece que sou o mais sábio – eu não acho que sei o que eu não sei.
>
> (AP. 21D)

O poder de ver a diferença entre o que se sabe e o que não se sabe constitui a sabedoria de Sócrates e motivou uma vida de pesquisa. Ele admite ser apaixonado pela atividade de buscar essa diferença. A partir do testemunho de amantes como Sócrates ou Safo, podemos imaginar o que seria viver em uma cidade sem desejo. Tanto o filósofo quanto a poeta descrevem Eros com imagens de asas e metáforas de voo, pois o desejo é um movimento que carrega corações ansiosos daqui para lá, lançando a mente para dentro de uma história. Na cidade sem desejo, esses voos são inimagináveis. As asas são mantidas cortadas. O conhecido e o desconhecido aprendem a se alinhar um atrás do outro para que, desde que posicionados num ângulo adequado, pareçam ser a mesma coisa. Mesmo se *houvesse* uma diferença visível, você poderia achar difícil de dizer, pois o verbo útil *mnaomai* começou a significar "um fato é um fato". Buscar algo a mais do que os fatos vai te levar para além desta cidade e talvez, como para Sócrates, para além deste mundo. É uma proposta de alto risco, como Sócrates viu muito claramente, buscar a diferença entre o conhecido e o desconhecido. Ele achou que o risco valia a pena, porque estava apaixonado pela conquista em si. E quem não está?

Referências bibliográficas

AUDEN, W. H. *Collected Poems*. Ed. E. Mendelson. Nova York, 1976.
AUGUSTINE. *Sancti Aureli Augustini Confessionum Libri Tredecim*. Ed. P. Knoll. Leipzig, 1896.
BARTHES, R. *A Lover's Discourse: Fragments*. Trad. R. Howard. Nova York, 1978.
BASHO MATSUO. *The Narrow Road to the Deep North and Other Travel Sketches*. Trad. Nobayuki Yuasa. Nova York, 1966.
BAXANDALL, M. *Painting and Experience in Fifteenth Century Italy: A Primer in the Social History of Pictorial Style*. Oxford, 1972.
BLASS, F. (org.). *Isocrates Orationes*. Leipzig, 1898.
BURNET, J. *Platonis Opera*. 6 vols. Oxford, 1902-1906.
BURNETT, A. P. *Three Archaic Poets: Archilochus, Alcaeus, Sappho*. Londres, 1983.
BUSSE, A. *Elias in Aristotelis Categorias commentaria*. Berlim, 1900.
CALVINO, I. *The Nonexistent Knight*. Trad. A. Colquhoun. Nova York/Londres, 1962.
CARRIÈRE, J. *Théognis: Poèmes élégiaques*. Paris, 1962.
CARTLEDGE, P. "Literacy in the Spartan Oligarchy." *Journal of Hellenic Studies*, vol. 98, 1978, pp. 25-37.
COHEN, J. *Structure du langage poétique*. Paris, 1966.
COLDSTREAM, J. N. *Geometric Greece*. Londres, 1977.
COLE, S. G. "Could Greek Women Read and Write?" *Women's Studies*, vol. 8, 1981, pp. 129-55.
COLONNA, A. (org.). *Heliodori Aethiopica*. Roma, 1938.
COULON, V. *Aristophane*. 5 vols. Paris, 1967-1972.
DALMEYDA, G. *Longus: Pastorales*. Paris, 1934.

DAVISON, J. A. "Literature and Literacy in Ancient Greece." *Phoenix*, vol. 16, 1962, pp. 141-233. Reed. em *From Archilochus to Pindar*, pp. 86-128. Londres, 1968.

DE BEAUVOIR, S. *The Second Sex*. Trad. H. M. Parshley. Nova York, 1953.

DENNISTON, J. D. *The Greek Particles*. 2ª ed. Oxford, 1954.

DE VRIES, G. J. *A Commentary on the Phaedrus of Plato*. Amsterdã, 1969.

DICKINSON, E. *The Complete Poems*. Ed. T. H. Johnson. Boston, 1960. [Ed. bras.: *Poesia completa, volume 1: os fascículos*. Brasília/Campinas: UnB/Unicamp, 2020, p. 313.]

DIELS, H. *Die Fragmente der Vorsokratiker, griechisch und deutsch*. 3 vols. Berlim, 1959-1960.

DODDS, E. R. "A Fragment of a Greek Novel." In: M. E. White (org.). *Studies in Honour of Gilbert Norwood*. Toronto, 1952, pp. 133-53.

DONNE, J. *The Complete English Poems*. Ed. A. J. Smith. Harmondsworth, 1971.

DOVER, K. J. *Greek Homosexuality*. Cambridge, Mass., 1978.

DÜBNER, F. (org.). *Himerius Orationes*. Paris, 1849.

EDMONDS, J. M. (org.). *Elegy and Iambus... with the Anacreontea*. 2 vols. Cambridge, Mass., 1961.

ERDMAN, D. V. (org.). *The Notebooks of William Blake*. Nova York, 1977.

FINNEGAN, R. *Oral Poetry: Its Nature, Significance, and Social Context*. Cambridge, 1977.

FLAUBERT, G. *Madame Bovary: Mœurs de province*. 2 vols. Paris, 1857.

FONDATION HARDT. *Entretiens sur l'antiquité classique*, vol. 10: *Archiloque*. Genebra, 1963.

FOUCAULT, M. *The Order of Things: An Archaeology of the Human Sciences*. Nova York, 1973. [Ed. bras.: *As palavras e as coisas*. Trad. Salma Tannus Muchail. São Paulo: Martins Fontes, 2000.]

FRÄNKEL, H. *Early Greek Poetry and Philosophy*. Trad. M. Hadas e J. Willis. Nova York/Londres, 1973.

GAISFORD, T. (org.). *Ioannis Stobaei Florilegium*. 4 vols. Oxford, 1822.

GASELEE, S. (org.). *Achilles Tatius: Clitophon and Leucippe*. Nova York, 1917.

GELB, I. J. *Study of Writing*. rev. ed. Chicago, 1963.

GIRARD, R. *Deceit, Desire, and the Novel: Self and Other in Literary Structure*. Trad. Y. Freccero. Baltimore/Londres, 1965.

GOMME, A. W. "Interpretations of Some Poems of Alkaios and Sappho." *Journal of Hellenic Studies*, vol. 77, 1957, pp. 259-60.
GOODY, J. (org.). *The Domestication of the Savage Mind*. Cambridge, 1977.
_____. *Literacy in Traditional Societies*. Cambridge, 1968.
GOW, A. S. *Theocritus*. 2 vols. Cambridge, 1952.
GRAFF, H. J. *Literacy in History: An Interdisciplinary Research Bibliography*. Nova York, 1981.
HARVEY, D. "Greeks and Romans Learn to Write." In: E. A. Havelock & J. P. Hershbell (orgs.). *Communication Arts in the Ancient World*. Nova York, 1978, pp. 63-80.
HAVELOCK, E. A. *The Greek Concept of Justice*. Cambridge, Mass., 1978.
_____. *The Literate Revolution in Greece and Its Cultural Consequences*. Princeton, 1982.
_____. "The Oral Composition of Greek Drama." *Quaderni Urbinati di Cultura Classica*, vol. 35, 1980, pp. 61-112.
_____. *Origins of Western Literacy*. Toronto, 1976.
_____. *Preface to Plato*. Cambridge, Mass., 1963.
_____. *Prologue to Greek Literacy*. Cincinnati, 1971.
HAVELOC, E. A. & J. P. Hershbell. *Communication Arts in the Ancient World*. Nova York, 1978.
HEISERMAN, A. *The Novel before the Novel*. Chicago, 1977.
HEUBECK, A. von. "Die homerische Göttersprache." *Würzburger Jabrbücher für die Altertumswissenschaft*, vol. 4, 1949-50, pp. 197-218.
HILGARD, A. *Grammatici Graeci*. 3 vols. Leipzig, 1901.
HODGE, A. T. "The Mystery of Apollo's E at Delphi." *American Journal of Archaeology*, vol. 85, 1981, pp. 83-84.
HOLLOWAY, J. "Cone." *The Times Literary Supplement*, 24 out. 1975, p. 1262.
HUMBOLDT, W. VON. *Gesammelte Werke*. 6 vols. Berlin, 1848.
INNIS, H. A. *The Bias of Communication*. Toronto, 1951.
JACOBY, F. *Die Fragmente der griechischen Historiker*. 15 vols. Berlim, 1923-1930; Leiden, 1943-1958.
JAEGER, W. (org.). *Aristoteles Metaphysica*. Oxford, 1957.
_____. *Paideia*. 3 vols. Berlim/Leipzig, 1934-1947.
JEBB, R. C. *Sophocles*. 7 vols. 1883-1896. Reed. Amsterdã, 1962.
JEFFREY, L. H. *The Local Scripts of Archaic Greece*. Oxford, 1961.
JENKINS, I. "Is There Life after Marriage? A Study of the Abduction Motif

in Vase Paintings of the Athenian Wedding Ceremony." *Bulletin of the Institute for Classical Studies*, vol. 30, 1983, pp. 137-45.

JENKYNS, R. *Three Classical Poets: Sappho, Catullus, and Juvenal*. Cambridge, Mass., 1982.

JENSEN, H. *Die Schrift in Vergangenheit und Gegenwart*. Berlim, 1969.

JOHNSTON, A. "The Extent and Use of Literacy: The Archaeological Evidence." In: R. Hägg (org.). *The Greek Renaissance of the Eighth Century B.C.: Tradition and Innovation*. Estocolmo, 1983, pp. 63-68.

KAFKA, F. *The Complete Stories*. Ed. N. N. Glatzer. Nova York, 1971. [Ed. bras.: *Narrativas do espólio*. Trad. Modesto Carone. São Paulo: Companhia das Letras, 2002.]

KAIBEL, G. (org.). *Athenaei Naucratitae Dipnosophistarum*. 3 vols. Leipzig, 1887-1890.

KAWABATA, Y. *Beauty and Sadness*. Trad. H. Hibbet. Nova York, 1975.

KEATS, J. *Poems*. Londres, 1817.

KENYON, F. G. *The Palaeography of Greek Papyri*. Oxford, 1899.

KIERKEGAARD, S. *Either/Or: A Fragment of Life*. Trad. D. F. Swenson e L. M. Swenson. Princeton/Londres, 1944.

KNOX, B.M.W. "Silent Reading in Antiquity." *Greek, Roman, and Byzantine Studies*, vol. 9, 1968, pp. 421-35.

KOCK, T. (org.). *Comicorum Atticorum Fragmenta*. 3 vols. Leipzig, 1880-1888.

KUNDERA, M. *The Book of Laughter and Forgetting*. Trad. M. H. Heim. Nova York, 1980.

LABARRIÈRE, J.-L. "Imagination humaine et imagination animale chez Aristote." *Phoenix*, vol. 29, 1984, pp. 17-49.

LACAN, J. *Écrits*. Paris, 1966.

LANG, M. *The Athenian Agora* XXI. Princeton, 1976.

LOBEL, E. & D. PAGE (orgs.). *Poetarum Lesbiorum Fragmenta*. Oxford, 1955.

LUCAS, D. W. (org.). *Aristotle: Poetics*. Oxford, 1968.

MASSA, E. *Andreas Capellanus: Il libro amore nel Medioevo*. 2 vols. Roma, 1976.

MONRO, D. B. & T. W. ALLEN. *Homeri Opera*. 5 vols. Oxford, 1920.

MONTAIGNE, M. de. *The Essays*. Trad. J. Florio. Londres, 1603.

MURRAY, G. *Aeschyli Septem Quae Supersunt Tragoediae*. Oxford, 1937.

_____. *Euripidis Fabulae*. 3 vols. Oxford, 1913-1915.

MUSSO, O. *Michele Psello: Nozioni paradossali*. á Nápoles, 1977.

MYLONAS, G. E. "Prehistoric Greek Scripts." *Archaeology*, vol. 4, 1948, pp. 210-19.

NAUCK, A. *Tragicorum Graecorum Fragmenta*. 2ª ed. Leipzig, 1889.

NIETZSCHE, F. *The Will to Power*. Trad. W. Kaufmann e R. J. Hollingdale. Nova York, 1967. [Ed. bras.: *Vontade de poder*. Tradução do alemão de Marcos Sinésio Pereira Fernandes e Francisco José Dias de Moraes. Rio de Janeiro: Contraponto, 2008, pp. 403-04.]

NUSSBAUM, M. "Fictions of the Soul." *Philosophy and Literature* vol. 7, 1983, pp. 145-61.

ONIANS, R. B. *The Origins of European Thought about the Body, the Mind, the Soul, the World, Time, and Fate*. Cambridge, 1951.

PAGE, D. L. (org.). *Poetae Melici Graeci*. Oxford, 1962.

_____. *Select Papyri*. Londres/Cambridge, Mass., 1932.

PARKE, H. W. *The Delphic Oracle*. 2 vols. Oxford, 1956.

_____. *The Oracles of Zeus*. Oxford, 1967.

PATON, W. R. *The Greek Anthology*. 5 vols. Londres/Nova York, 1916-1926.

PERRY, B. E. *The Ancient Romances*. Berkeley/Los Angeles, 1967.

PETRARCH, F. *I Trionfi*. Veneza, 1874.

PFEIFFER, R. (org.). *Callimachus*. 2 vols. Oxford, 1965.

POMEROY, S. B. "Technikai kai Mousikai." *American Journal of Ancient History*, vol. 2, 1977, pp. 15-28.

PUSHKIN, A. *Eugene Onegin*. Trad. V. Nabokov. 4 vols. Princeton, 1964.

QUINN, K. (org.). *Catullus: The Poems*. Londres, 1970.

RACE, W. H. "'That Man' in Sappho fr. 31 LP." *Classical Antiquity*, vol. 2, 1983, pp. 92-102.

RADT, S. (org.). *Tragicorum Graecorum Fragmenta IV: Sophocles*. Gottingen, 1977.

RICŒUR, P. "The Metaphorical Process as Cognition, Imagination, and Feeling." *Critical Inquiry*, vol. 5, 1978, pp. 143-58.

RILKE, R. M. *Selected Poetry*. Ed. S. Mitchell. Nova York, 1984.

ROBB, K. "Poetic Sources of the Greek Alphabet." In: E. A. Havelock & J. P. Hershbell (orgs.). *Communication Arts in the Ancient World*. Nova York, 1978, pp. 23-36.

ROBBINS, E. "'Everytime I Look at You...' Sappho Thirty-One." *Transactions of the American Philological Association*, vol. 110, 1980, pp. 255-61.

ROCHA-PEREIRA, M. H. *Pausaniae Graeciae Descriptio*. 3 vols. Leipzig, 1973.

ROSS, W. D. *Aristotelis Ars Rhetorica*. Oxford, 1959.
_____. *Aristotelis De Anima*. Oxford, 1956.
_____. *Aristotelis Parva Naturalia*. Oxford, 1955.
_____. *Aristotelis Physica*. Oxford, 1950.
_____. *Aristotelis Politica*. Oxford, 1957.
_____. *Aristotle's Metaphysics*. 2 vols. Oxford, 1924.
RUSSELL, D. A. *Libellus de sublimitate Dionysio Longino fere adscriptus*. Oxford, 1968.
SARTRE, J.-P. *Being and Nothingness*. Trad. M. E. Barnes. Nova York, 1956.
_____. *Sketch for a Theory of the Emotions*. Trad. P. Mairet. Londres, 1962.
SAUSSURE, F. de. *Cours de linguistique générale*. Paris, 1971.
SEARLE, J. R. "*Las Meninas* and the Paradoxes of Pictorial Representation." *Critical Inquiry*, vol. 6, 1980, pp. 477-88.
SEATON, R. C. (org.). *Apollonii Rhodii Argonautica*. Oxford, 1900.
SIRVINOU-INWOOD, C. "The Young Abductor of the Lokrian Pinakes." *Bulletin of the Institute for Classical Studies*, vol. 20, 1973, pp. 12-21.
SLATER, M. *Dickens and Women*. Londres, 1983.
SNELL, B. *The Discovery of the Mind in Greek Philosophy and Literature*. Trad. T. G. Rosenmeyer. New Haven, 1953.
SNELL, B. & H. MAEHLER (orgs.). *Pindari Carmina cum Fragmentis*. 2 vols. Leipzig, 1975-1980.
SNODGRASS, A. M. *Archaic Greece: The Age of Experiment*. Londres, 1980.
SOLMSEN, F. *Hesiodi Theogonia, Opera et Dies, Scutum*. Oxford, 1970.
STAIGER, E. *Grundbegriffe der Poetik*. Zurique, 1946.
STANFORD, W. B. *Greek Metaphor: Studies in Theory and Practice*. Oxford, 1936.
STENDAHL (M. H. Beyle). *The Life of Henri Brulard*. Trad. J. Stewart e B. Knight. Middlesex, 1973.
STENDAHL (M. H. Beyle). *Love*. Trad. G. Sale e S. Sale. Nova York, 1957.
STOLZ, B. A. & R. S. SHANNON III (orgs.). *Oral Literature and the Formula*. Ann Arbor, 1976.
SVENBRO, J. *La Parole et le marbre: Aux origines de la poétique grecque*. Lund, 1976.
TANIZAKI, J. *The Secret History of the Lord of Musashi and Arrowroot*. Trad. A. H. Chambers. Nova York, 1982.
TOLSTOY, L. N. *Anna Karenina*. Trad. R. Edmonds. Nova York, 1978.

[Ed. bras.: *Anna Kariênina*. Trad. Mário Laranjeira. São Paulo: Penguin/ Companhia das Letras, 2011.]

TURNER, E. G. *Athenian Books in the Fifth and Fourth Centuries B.C.* Londres, 1952.

WAIBLINGER, F. P. *Historia Apollonii regis Tyri*. Munique, 1978.

WEIL, S. *The Simone Weil Reader*. Ed. G. A. Panichas. Nova York, 1977.

WELTY, E. *One Writer's Beginnings*. Cambridge, Mass., 1984.

WEST, M. L. "Burning Sappho." *Maia*, vol. 22, 1970, pp. 307-30.

_____. *Hesiod: Theogony*. Oxford, 1966.

_____. *Iambi et Elegi Graeci*. 2 vols. Oxford, 1971-1972.

WOODHEAD, A. G. *The Study of Greek Inscriptions*. 2ª ed. Cambridge, 1981.

WOOLF, V. *The Waves*. Nova York, 1931. [Ed. bras.: *As ondas*. Trad. Tomaz Tadeu. Belo Horizonte: Autêntica, 2021.]

Índice de citações

A

Agatão (TGF) fr. 4, 92
Alceu (LP) 283.3-6, 222
Álcman (PMG): 1.77, 59; 3, 68;
3.61-62, 42; 59(a), 170, 172-3
Anacreonte (PMG): 349,1, 170;
356(a)6, 170; 356(b)1, 170; 358,
42, 170; 371.1, 118; 376.1, 118; 378,
156; 394(b), 170; 400,1, 170; 401,1,
170; 412, 170; 413, 23, 113, 121;
413,1, 170; 417, 42; 428, 25; 428,1,
170; Anac. 27E, 23
André Capelão, De Amore XIV, 99
Anth. Pal. (Antologia Palatina): 5.59,
223; 5.214, 42; 6.280, 42; 11.252,
21-22; 12.63, 23; 12.81, 22; 12.126,
23, 25; 12.151, 36; 12.153, 44;
12.167, 22
Antífanes (CAF) fr. 196, 144
Apolônio de Rodes: 3.132-41, 42;
3.444-45, 44
Aquiles Tácio, Leucipe e Clitofonte
5.20, 134-35
Aristófanes: Eccl. 956, 59; Nub. 997,
42; Ran. 66, 59; Ran. 1425, 20, 113
Aristóteles: De An. 433a-b, 238;
Metaph. A 1.980a21, 108, 158; Ph.
239b5-18, 119-20; Ph. 263a4-6,
119-20; Poet. 21.1457b7, 111; Pol.
1.3.1257b, 195-96; Rh. 1.1369b19,
102; Rh. 1.1370a6, 98-99; Rh.
3.2.1405a34, 110; Rh. 3.2.1412a6,
112-13; Sens. 437b23ss, 78; Sens.
4.442a29, 79
Arquíloco (West, IEG): 99.21, 59; 191,
59, 75; 193, 59; 196, 24, 68
Ateneu: 10.454b: 92; 450c: 144; 453c:
92; 10.454f: 92

B

Baquílides 16.51, 164

C

Calímaco, Epigrammata 31.5-6, 42
Cáriton, Quéreas e Calírroe, 116; 5.8.2,
123
Catulo 85, 22

D

Diógenes Laércio 1.14, 203
Dionísio Trácio (Hilgard, Gramm.
Gr.) 1.3.183, 89

E

Éforo (*FGrH*) F148, 47
Empédocles (Diels, VS): B89: 79;
    B100.1: 79
Ésquilo: *Ag.* 411, 39; *Ag.* 414-19, 21-21,
    113; *PV* 102, 164; *Sept.* 239, 164;
    Supp. 942-49, 145-46; *Supp.* 947, 94
Estobeu, *Flor.* 4.230m, 42-43
Eurípides: 548-49, 25; *Sthen.*, 26, 238;
    Teseu, 90-92; fr. 433 (*TGF*), 210

H

Heliodoro, *Etiópicas* 4.8.1, 136-37;
    4.8.5, 135-36; 4.9.1, 122-23, 138;
    10.38.4, 122
Heródoto 5.58, 94
Hesíodo: *Scutum* 7, 78; *Teogonia* 189-
    200, 59
Himério, *Orações* 9.16, 51
Hino Homérico a Hermes 434, 210
História de Apolônio de Tiro, 138-39
Homero: *Il.* 1.403-404, 227; *Il.* 2.813,
    227; *Il.* 3.156-57, 98; *Il.* 3.400ss,
    210; *Il.* 3.414-15, 19; *Il.* 6.156,
    149; *Il.* 6.160, 149; *Il.* 6.168-70,
    150; *Il.* 14.290-91, 227; *Il.* 20.74,
    227; *Il.* 20.321, 77; *Il.* 20.421,
    77; *Il.* 24.510, 76; *Od.* 4.716, 151;
    Od. 8.544, 43; *Od.* 9.433, 76; *Od.*
    10.305, 227; *Od.* 12.61, 227; *Od.*
    16.416, 44; *Od.* 17.57, 78; *Od.*
    17.578, 43; *Od.* 18.210, 44

I

Íbico (*PMG*): 286.8-11, 23; 287, 42
Isócrates, *Contra os Sofistas* 12,
    174, 187

L

Longino, *Do Sublime* 10.2, 35
Longo, *Dafnis e Cloé* 3.33-34, 127-29

M

Máximo de Tiro 18.9, 114, 239

P

Pausânias 5.17.6, 92
Píndaro: *Pyth.* 9.9-13, 43; fr. 123
    (*Snell-Maehler*), 35, 68, 166
Platão, *Ap.* 21d, 241-42; *Crat.* 382b,
    230; *Crat.* 391e, 228; *Crat.*
    400e, 228; *Lys.* 221e6, 62; *Lys.*
    221e-222a, 61; *Phdr.* 227a-57c,
    234-35; *Phdr.* 227c, 177; *Phdr.*
    228b, 177, 209; *Phdr.* 228c, 177;
    Phdr. 230d-e, 177; *Phdr.* 230e7 =
    262e2 = 263e7, 216; *Phdr.* 231a,
    181; *Phdr.* 231d, 211; *Phdr.* 232a,
    212; *Phdr.* 232b-d, 181; *Phdr.* 233a-
    b, 180; *Phdr.* 233b-c, 180; *Phdr.*
    234b, 181; *Phdr.* 234d, 177; *Phdr.*
    234e, 183; *Phdr.* 235c, 183; *Phdr.*
    236b, 177, 209; *Phdr.* 236e, 177;
    Phdr. 239a-b, 183-84; *Phdr.* 239c,
    185; *Phdr.* 239c-d, 183; *Phdr.* 240a,
    184-85, 206; *Phdr.* 242e, 197;
    Phdr, 244a-45, 220; *Phdr.* 245c-46,
    216; *Phdr.* 246-51, 223; *Phdr.* 247d-

e, 224; *Phdr.* 249e-50c, 217-18;
Phdr. 251-52, 223; *Phdr.* 252a, 229;
Phdr. 252a-c, 226-27; *Phdr.* 252c,
227, 228; *Phdr.* 253a, 218; *Phdr.*
256e, 212, 225; *Phdr.* 257c-79c,
235; *Phdr.* 258e-259a, 199; *Phdr.*
259b-c, 199-200; *Phdr.* 259c, 225;
Phdr. 259e, 188; *Phdr.* 262d, 215;
Phdr. 263e, 215-16; *Phdr.* 264a,
181-82, 197; *Phdr.* 264c, 190-91;
Phdr. 264d, 193; *Phdr.* 264e, 194;
*Phdr.*265d-e, 240; *Phdr.* 266b,
241; *Phdr.* 272c, 240; *Phdr.* 274a,
240; *Phdr.* 275, 94; *Phdr.* 275b,
189; *Phdr.* 275c, 174-75, 231; *Phdr.*
275d, 188; *Phdr.* 275d-e, 189-90;
Phdr. 276a, 189; *Phdr.* 276b-77a,
203-4; *Phdr.* 277d, 175; *Phlb.* 16b,
241; *Phlb.* 18b, 86; *Prot.* 326d,
89-90; *Soph.* 264c, 240; *Symp.*
177d, 240; 183c-85c, 46; *Symp.*
189d-93d, 56; *Symp.* 190b-c, 105;
Symp. 191d, 56, 114; *Symp.* 192c-d,
103-4; *Symp.* 192d-e, 104-5; *Symp.*
196e, 238; *Symp.* 196d, 210; *Symp.*
203b-e, 27; *Symp.* 218d, 102-3;
Symp. 219b-d, 44-45; *Theag.* 128b,
240; *Tht.* 203b, 86

S

Safo (*LP*): 1,15, 170; 1,16, 170; 1,18,
170; 22.11, 170; 22.9-13, 172; 31, 31-
33, 124, 129, 221, 238; 51, 24, 121;
83.4, 170; 96.16-17, 59; 99,23, 170;
105a, 51-52, 106, 128; 127, 170; 130,
17-18, 24, 68, 170-71, 210; 131, 29;
137.1-2, 43; 172, 114; 188, 239
Santo Agostinho, *Confissões* 11.27, 174
Sófocles: *Ant.* 781, 210; OC 247, 43;
Trach. 441, 210; fr. 149 (Radt), 23,
25, 161-63; fr. 156 (*TGF*), 92

T

Teócrito 2.55, 59
Teodectes (*TGP*), fr. 6, 92
Teógnis: 1163-64, 78; 1207-08, 40;
1271, 59; 1287-93, 41; 1372, 42

V

Virgílio, *Eneida* 4.83, 39

X

Xenofonte de Éfeso, *Efesíacas* 1.8,
119; 5.13, 122

Índice remissivo

A
Adônis, jardins de, 203-6, 207-8, 225
Afrodite, 19-21, 59, 115, 118-19, 210
aidôs, 43-44, 48, 118
alcançar, 49, 51-54, 59, 82, 98, 106, 108, 128, 137-38, 157-58, 234, 237-38, 240; *ver também* perseguição e fuga
Alcibíades, 20, 44-46, 102, 113
alfabetização, 69-74, 75, 80, 85-88, 90-92, 116, 130, 152-53, 173; *ver também* leitura e escrita
alfabeto, 69-74, 75, 81, 85-87, 90-93, 137, 144, 152, 157; *ver também* leitura e escrita
amor, *ver* ódio, linguagem e amor, analogia entre
Andrômeda, 136-37
Anna Kariênina, 19, 100, 101-2
Arquílico, 24, 59, 68, 70, 75-83, 144-45
artimanha, 37-38, 39, 60, 98, 120, 123, 124, 138, 241
asas, 33, 79, 129, 157, 173, 221-23, 225, 227, 230-31, 242
Atalanta, 40-41

ausência e presença, 28-29, 37, 39-40, 82-83, 97, 109, 125-26, 133-34, 140, 144, 151, 161, 169, 225, 240

B
Belerofonte, 147, 149-53
boustrophēdon, 92-93
Bovary, Emma, 100

C
Calvino, Italo, 101
casamentos, 47-49, 51-52, 118-19, 134
castidade, 44, 118
cigarras, 199-201, 212, 225
Ciúme (dança), 34
ciúmes, 33-37
coleções e divisões, 240-41
conhecimento, 102, 107, 124, 126, 130, 158-59, 167, 205, 207, 217, 228-29, 231, 233-34, 238-42
consoantes, 76-77, 86-88, 92, 95, 229; *ver também* vogais
contorno, o, 55-56, 63-65, 80-81, 89-90, 92, 95, 115, 120, 157-58, 174

contradições, 17, 25-26, 27-29, 46-47, 122-23, 129-30, 134-35
cortejar, 108, 119, 126-28, 140, 152, 157, 180, 239, 242
coup de foudre [amor à primeira vista], 42
cristalização, 99-101
cultura oral, 72-73, 74, 75, 78-80, 116, 152

D

Dante, 131n, 154
De Beauvoir, Simone, 28
decote, 54
deltos, 146
derretimento, 23-24, 35, 42, 68-69, 162-68, 169, 174, 182, 185, 207, 221; *ver também* quente e frio
desejo, 27-28, 46, 54, 196, 198, 199
dēute, 18, 170-73, 211
Dickens, Charles, 154-55
Dickinson, Emily, 28
Dido, 39
distância, deslocamento de, 38, 60, 111, 113, 119, 124, 137, 140
Dodona, oráculo de Zeus em, 146

E

efemeridade, 163-64, 167
eros, fisiologia de, 22-23, 28-29, 31-33, 36, 59, 68-69, 74, 76, 166, 210
Escher, Maurits, Cornelis, 163
espelho, 109-10, 112, 234
estereoscopia, 37, 111, 124, 130, 168, 170, 182, 234, 240-41

eu, 55-57, 59, 62-66, 67-70, 72-74, 81, 97, 102-3, 106, 112, 158, 219-21, 233

F

falta, 27-29, 37, 39, 46, 55-56, 59-60, 62-64, 74, 97, 102, 114, 197, 238
Flaubert, Gustave, 100
Foucault, Michel, 109
Freud, Sigmund, 65-66, 99-100
fuga, *ver* perseguição e fuga

H

Heisenberg, Werner, 167-68
Helena, 19-21, 98, 113, 210, 222-23
Homero, 19-20, 44, 77-78, 80-82, 98, 108, 115, 147, 149-54, 157-58, 173-74, 210, 227
hybris, 43, 227

I

imaginação, 19, 82, 88, 92, 95, 98-102, 106, 111, 115, 125, 137, 140, 153, 159, 237-38
impertinente, 15-16, 141, 218
integridade, 56, 59, 64, 69
intencionalidade, 37

K

Kafka, Franz, 14
Kawabata, Yasunari, 101
Kierkegaard, Soren, 99

L

Lacan, Jacques, 28-29
leitura e escrita, 19, 70-73, 75, 80-82,

85-95, 115-16, 119, 123-24, 125-27, 129-31, 133-47, 149-55, 157-59, 173-74, 187-91, 193-95, 203-6, 207-8, 209, 215-18, 219, 230-31, 233-34, 237; *ver também* alfabetização
limites/fronteiras, 55, 68-69, 80-82, 108
Linear B, 86
linguagem e amor, analogia entre, 79, 82-83, 87, 97, 157, 187, 194, 203-6, 207-8, 239
logos, 177, 182-83, 188-91, 205-6, 208-9, 211, 216-18, 220, 233-35, 240
loucura, 23, 25, 121, 210-11, 217, 219-20

M

maçãs, 42, 51-54, 106, 127-30, 158, 161, 234
Menelau, 20, 39, 113
mente, 17, 20, 26, 36-37, 87, 99, 102, 108, 165, 211, 240
metáfora, 15, 110-13, 115, 120, 125-26, 130, 137, 144-45, 147, 151-53, 157-59, 164-65, 173, 221, 242
métrico, padrão, 53-54, 76-77, 82, 227-30
Midas, 193-98, 200-1, 205-6, 225
mnaomai, 108, 157, 239, 242
Montaigne, Michel de, 126, 140, 155

N

não amante, 179-81, 195, 197, 201, 208, 209, 211-13, 216-17
Nietzsche, Friedrich, 67, 102
novidade, 164-66

O

ódio, 19-22, 24-6, 29, 51, 65, 113-14, 120
oikeios, 61-62, 65
osso, articulação do, 113-14, 177

P

paradoxo, 17-20, 23-26, 29-33, 37, 112-14, 118-20, 121-23, 126, 129-31, 133-38, 153, 158-59, 164-65, 167-68, 170, 182, 195-98, 201, 207, 224, 234
peithō, 79
perseguição e fuga, 41-42, 47-49, 118, 138, 223
Perseu, 136-37
Petrarca, 28
phantasia, 237-38
phrenes, 77-78
Piranesi, Giovanni Battista, 163
Pitágoras, 89
poikilos, 46-47
ponto cego, 108-9, 113, 120, 130, 133, 138, 151, 153, 159, 161, 167, 175, 207, 224

Q

quente e frio, 23, 28, 35, 46, 161-68, 182; *ver também* derretimento

R

romance, 116-20, 121-24, 133-41, 151-54, 158, 218, 219, 238

S

Safo, 17-20, 22, 24-26, 29, 31, 35-37, 39, 43, 51, 54, 55, 59, 66, 68, 97, 101-2, 106, 107, 114, 121, 124, 128-29, 143-44, 155, 170, 171-73, 183, 221, 234, 238-42
Sartre, Jean-Paul, 28, 68-69
Saussure, Ferdinand de, 81
simbolização, 82, 85-86, 95, 113, 126-29, 137, 157, 208
skutalē, 144
Snell, Bruno, 66, 68-70
Sócrates, 44, 45-46, 60-65, 101, 102-3, 107, 175, 177, 181-83, 185, 187-89, 193-94, 196-97, 199, 201, 203-4, 205, 206, 212, 215-18, 219-21, 223-24, 225-28, 230, 233-34, 239, 241-42
sōphrosynē, 212-13, 219, 225
Stendahl, 99-101
symbolon, 113-14

T

tempo, 18, 54, 128, 161, 163-68, 169-75, 179-85, 187, 191, 193-98, 200-1, 203-8, 215-18, 223-24, 229, 233
teoria erótica, paradoxo do tempo, 182-83, 197, 209, 233
triângulo, 34, 37-39, 46, 60, 97, 106, 109-10, 115, 117-18, 124, 125-26, 133-41, 149, 150, 152, 158, 238
Tristão e Isolda, 46
trocadilhos, 27, 47, 60-63, 64-65, 226-27

V

Velázquez, Diego, 108-9, 112, 120
vertigem, 16, 110, 124, 167, 169
vogais, 53-54, 85-87, 92, 157; *ver também* consoantes

W

Weil, Simone, 27
Welty, Eudora, 88-89, 154-55
Woolf, Virginia, 64, 102

Z

Zenão, 119-20, 129, 134, 237
Zeus, 56-57, 146-47

Este livro foi editado pela Bazar do Tempo
em novembro de 2022, na cidade de
São Sebastião do Rio de Janeiro, e impresso
em papel Pólen bold 90 g/m². Ele foi composto
com as fontes FreightText Pro e Stratos e
reimpresso pela gráfica Margraf.

2ª reimpressão, maio 2025